그림을 보고 듣고 읽고 쓰면 저절로 외워지는

초등 필수

교육부 권장 초등 필수 단어

영단어 3.4 학년

교육부 권장 초등 필수 단어를
충실하게 반영

그림을 보고 듣고
읽고 쓰면
저절로 외워지는

교육부 권장 초등 필수 단어

초등 필수
영단어

3.4
학년

예스북

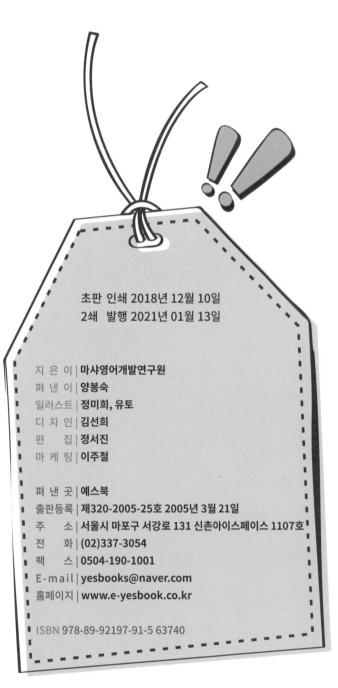

초판 인쇄 2018년 12월 10일
2쇄 발행 2021년 01월 13일

지 은 이 | 마샤영어개발연구원
펴 낸 이 | 양봉숙
일러스트 | 정미희, 유토
디 자 인 | 김선희
편　　집 | 정서진
마 케 팅 | 이주철

펴 낸 곳 | 예스북
출판등록 | 제320-2005-25호 2005년 3월 21일
주　　소 | 서울시 마포구 서강로 131 신촌아이스페이스 1107호
전　　화 | (02)337-3054
팩　　스 | 0504-190-1001
E-mail | yesbooks@naver.com
홈페이지 | www.e-yesbook.co.kr

ISBN 978-89-92197-91-5 63740

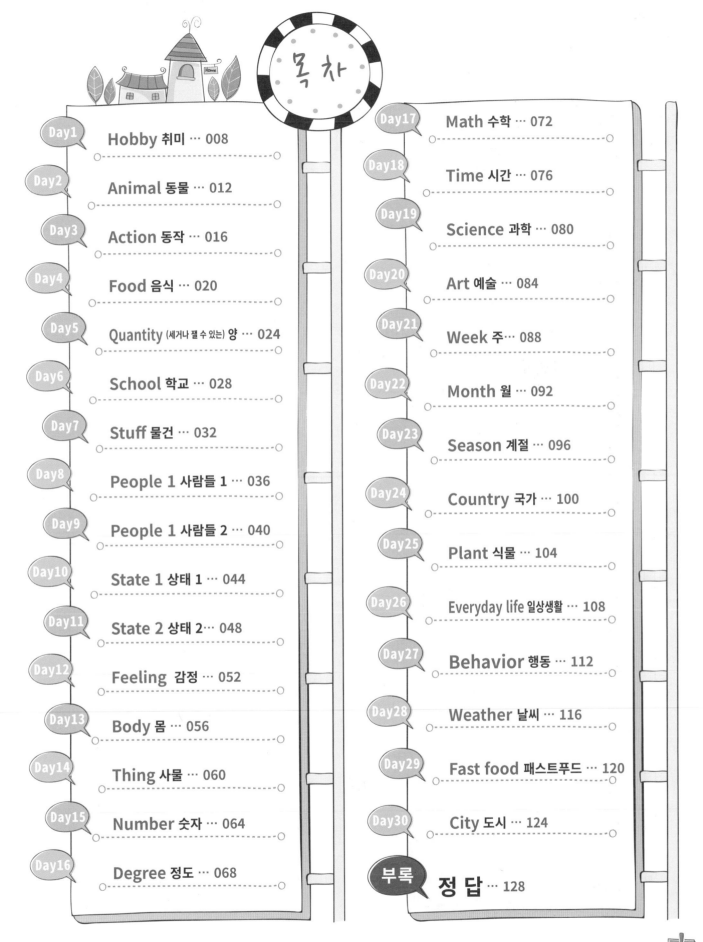

목 차

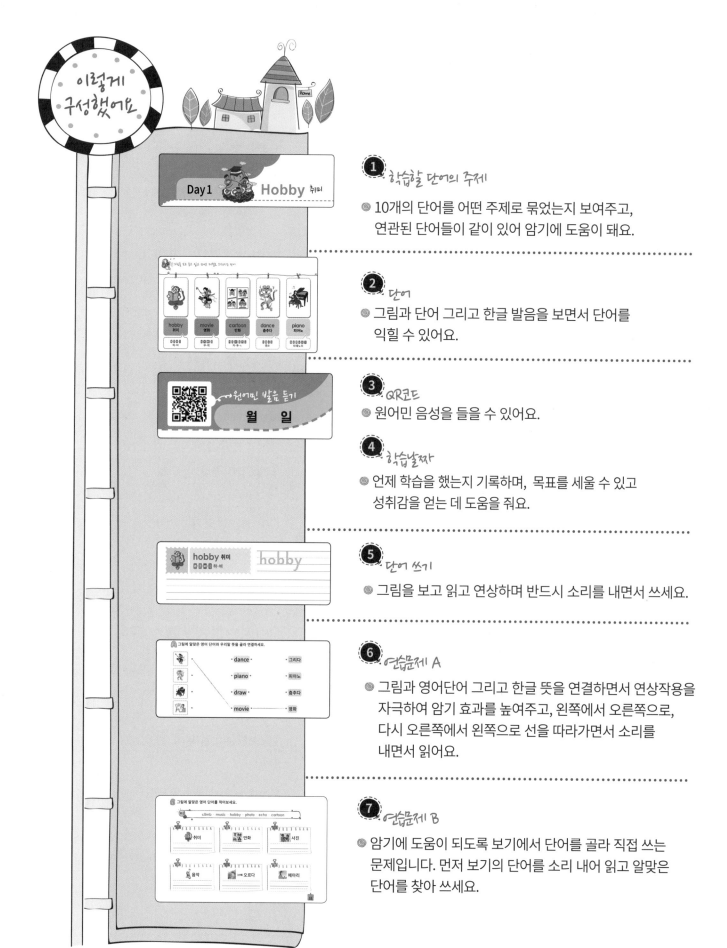

1 학습할 단어의 주제

◉ 10개의 단어를 어떤 주제로 묶었는지 보여주고, 연관된 단어들이 같이 있어 암기에 도움이 돼요.

2 단어

◉ 그림과 단어 그리고 한글 발음을 보면서 단어를 익힐 수 있어요.

3 QR코드

◉ 원어민 음성을 들을 수 있어요.

4 학습날짜

◉ 언제 학습을 했는지 기록하며, 목표를 세울 수 있고 성취감을 얻는 데 도움을 줘요.

5 단어 쓰기

◉ 그림을 보고 읽고 연상하며 반드시 소리를 내면서 쓰세요.

6 연습문제 A

◉ 그림과 영어단어 그리고 한글 뜻을 연결하면서 연상작용을 자극하여 암기 효과를 높여주고, 왼쪽에서 오른쪽으로, 다시 오른쪽에서 왼쪽으로 선을 따라가면서 소리를 내면서 읽어요.

7 연습문제 B

◉ 암기에 도움이 되도록 보기에서 단어를 골라 직접 쓰는 문제입니다. 먼저 보기의 단어를 소리 내어 읽고 알맞은 단어를 찾아 쓰세요.

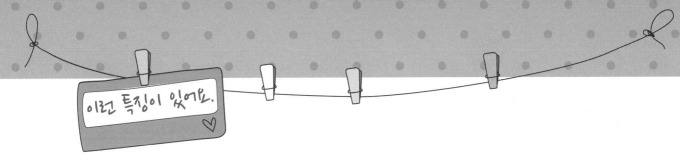

1 교육부 권장 초등 필수 단어를 충실하게 반영

◉ 교육부 권장 초등 필수 단어 850개를 충실하게 반영하여 초등학생이 익혀야 할 단어를 선정했어요.
◉ 서로 연관된 단어들끼리 묶어서 외우기 쉽게 배려했어요.

2 학습 효과를 최대로 높여주는 방식 도입

◉ 그림과 소리를 같이 활용하여 효율적인 단어 암기가 가능해요.
◉ 발음을 익히기 쉽게 한글로 표시했어요.
◉ 영어 단어의 발음을 쉽게 알 수 있도록 한글로 나누어 표기했어요.

3 효율적인 매일 학습이 가능

◉ 매일 10개씩 연관된 단어들을 암기할 수 있도록 구성했어요.
◉ QR코드를 통해 원어민 음성을 들으면서 학습이 가능하도록 했어요.
◉ 외운 것을 연습문제를 통하여 다시 한번 확인하도록 했어요.

우리말에 없는 소리는 어떻게 발음해요?

◎ 원어민 소리에 가장 가까운 발음을 한글로 표시했으며,

우리말에 없는 발음에는 'ㅍㅇ', 'ㄹㅇ', 'ㅂㅇ', 'ㅆㅇ', 'ㄷㅇ'로 표시했어요.

자음

Bb[ㅂ] Cc[ㅋ] Dd[ㄷ] Ff[ㅍㅇ] Gg[ㄱ] Hh[ㅎ] Jj[ㅈ] Kk[ㅋ] Ll[ㄹ]

Mm[ㅁ] Nn[ㄴ] Pp[ㅍ] Qq[ㅋ] Rr[ㄹㅇ] Ss[ㅅ, ㅆ] Tt[ㅌ] Vv[ㅂㅇ]

Ww[ㅟ] Xx[ㅋ, ㅆ] Yy[ㅣ] Zz[ㅈ] th[ㄷㅇ, ㅆㅇ] ch[취]

모음

Aa[ㅏ, ㅐ, ㅔㅣ] Ee[ㅔ, ㅣ] Ii[ㅣ, ㅏㅣ] Oo[ㅗ, ㅏ] Uu[ㅜ, ㅠ, ㅓ]

Day 1  Hobby 취미

 그림을 보고 듣고 읽고 쓰면 저절로 외워지는 단어

hobby
취미

ㅎ·ㅏ·ㅂ·ㅣ
하-비

movie
영화

ㅁ·ㅜ·ㅂ·ㅣ
무-뷔

cartoon
만화

ㅋ·ㅏ·ㄹ·ㅌ·ㅜ·ㄴ
카-투-ㄴ

dance
춤추다

ㄷ·ㅐ·ㄴ·ㅆ
댄쓰

piano
피아노

ㅍ·ㅣ·ㅐ·ㄴ·ㅗ·ㅜ
피애노우

draw
그리다

ㄷ·ㄹ·ㅗ·ㅡ
드로-

photo
사진

ㅍ·ㅗ·ㅜ·ㅌ·ㅗ·ㅜ
포우토우

music
음악

ㅁ·ㅠ·ㅈ·ㅣ·ㅋ
뮤-직

climb
(산에) 오르다

ㅋ·ㅡ·ㄹ·ㄹ·ㅏ·ㅣ·ㅁ
클라임

echo
메아리

ㅔ·ㅋ·ㅗ
에코

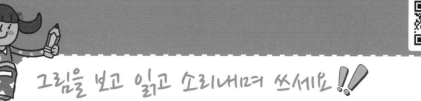

그림을 보고 읽고 소리내며 쓰세요!

hobby 취미
ㅎ+ㅏ+ㅂ+ㅣ 하-비

hobby

movie 영화
ㅁ+ㅜ+ㅂ+ㅣ 무-뷔

movie

cartoon 만화
ㅋ+ㅏ+ㄹ+ㅇ+ㅌ+ㅜ+ㄴ 카-투-ㄴ

cartoon

dance 춤추다
ㄷ+ㅐ+ㄴ+ㅅ 댄쓰

dance

piano 피아노
ㅍ+ㅣ+ㅐ+ㄴ+ㅗ+ㅜ 피애노우

piano

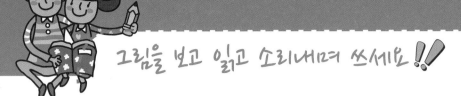
그림을 보고 읽고 소리내며 쓰세요 !!

draw 그리다 ㄷ·ㄹ·ㅇ·ㅗ 드로-	draw	

photo 사진 ㅍ·ㅗ·ㅜ·ㅌ·ㅗ·ㅜ 포우토우	photo	

music 음악 ㅁ·ㅠ·ㅈ·ㅣ·ㅋ 뮤-직	music	

climb (산에) 오르다 ㅋ·ㄹ·ㄹ·ㅏ·ㅣ·ㅁ 클라임	climb	

echo 메아리 ㅔ·ㅋ·ㅗ 에코	echo	

10

연습문제

A 그림에 알맞은 영어 단어와 우리말 뜻을 골라 연결하세요.

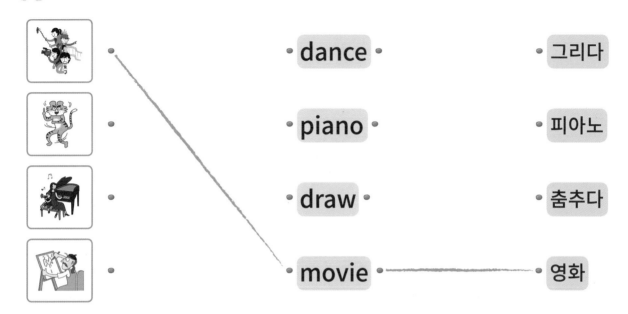

dance · · 그리다

piano · · 피아노

draw · · 춤추다

movie · · 영화

B 그림에 알맞은 영어 단어를 적어보세요.

보기   climb · music · hobby · photo · echo · cartoon

취미

만화

사진

음악

(산에) 오르다

메아리

Day 2  Animal 동물

 그림을 보고 듣고 읽고 쓰면 저절로 외워지는 단어

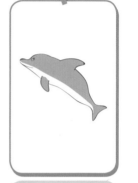

ant	bee	fly	shrimp	dolphin
개미	벌	파리	새우	돌고래

ㅐ·ㄴ·ㅌ	ㅂ·ㅣ	ㅍ·ㄹ·ㄹ·ㅏ·ㅣ	쉬·ㄹ·ㅣ·ㅁ·ㅍ	ㄷ·ㅏ·ㄹ·ㅍ·ㅣ·ㄴ
앤트	비-	플라이	쉬림프	달핀

shark	dinosaur	pigeon	eagle	wing
상어	공룡	비둘기	독수리	(새, 곤충의) 날개

쉬·ㅏ·ㄹ·ㅋ	ㄷ·ㅏ·ㅣ·ㄴ·ㅓ·ㅅ·ㅡ	ㅍ·ㅣ·쥐·ㄴ	ㅣ·ㄱ·ㄹ	ㄲ·ㅇ
샤-크	다이너소-어	피쥔	이-글	윙

12

그림을 보고 읽고 소리내며 쓰세요!!

ant 개미
ㅐ·ㄴ·ㅌ 앤트

ant

bee 벌
ㅂ·ㅣ 비-

bee

fly 파리
ㅍ·ㄹ·ㄹ·ㅏ·ㅣ 플라이

fly

shrimp 새우
쉬·ㄹ·ㅣ·ㅁ·ㅍ 쉬림프

shrimp

dolphin 돌고래
ㄷ·ㅏ·ㄹ·ㅍ·ㅣ·ㄴ 달퓐

dolphin

그림을 보고 읽고 소리내며 쓰세요 !!

shark 상어
쉬 + ㅏ + ㄹ + ㅋ 샤-크

shark

dinosaur 공룡
ㄷ + ㅏ + ㅣ + ㄴ + ㅓ + ㅅ + ㅗ 다이너소-어

dinosaur

pigeon 비둘기
ㅍ + ㅣ + 줘 + ㄴ 피쥔

pigeon

eagle 독수리
ㅣ + ㄱ + ㄹ 이-글

eagle

wing (새, 곤충의) 날개
ㅟ + ㅇ 윙

wing

연습문제

Ⓐ 그림에 알맞은 영어 단어와 우리말 뜻을 골라 연결하세요.

bee · · 새우

shrimp · · 벌

ant · · 공룡

dinosaur · · 개미

Ⓑ 그림에 알맞은 영어 단어를 적어보세요.

보기   eagle · pigeon · fly · shark · wing · dolphin

파리

돌고래

상어

비둘기

독수리

(새, 곤충의) 날개

Day 3  Action 동작

 그림을 보고 듣고 읽고 쓰면 저절로 외워지는 단어

jump
뛰어오르다

쥐·ㅁ·ㅍ
쥠프

point
가리키다

ㅍ·ㅗ·ㅣ·ㄴ·ㅌ
포인트

kick
발로차다

ㅋ·ㅣ·ㅋ
킥

kill
죽이다

ㅋ·ㅣ·ㄹ
킬

answer
대답하다

ㅐ·ㄴ·ㅆ·ㅓ
앤써

eat
먹다

ㅣ·트
이-트

swim
수영하다

ㅅ·ㅟ·ㅁ
스윔

wash
씻다

ㅘ·쉬
와-쉬

fight
싸우다

ㅍ·ㅏ·ㅣ·ㅌ
퐈이트

throw
던지다

ㅆ·ㄹ·ㅗ·ㅜ
쓰로우

그림을 보고 읽고 소리내며 쓰세요!!

jump 뛰어오르다
줘+ㅁ+ㅍ 쥠프

jump

point 가리키다
ㅍ+ㅗ+ㅣ+ㄴ+ㅌ 포인트

point

kick 발로차다
ㅋ+ㅣ+ㅋ 킥

kick

kill 죽이다
ㅋ+ㅣ+ㄹ 킬

kill

answer 대답하다
ㅐ+ㄴ+ㅆ+ㅓ 앤써

answer

eat 먹다
ㅣ·ㅌ 이-트

eat

swim 수영하다
ㅅ·ㅜ·ㅁ 스윔

swim

wash 씻다
ㅘ·쉬 와-쉬

wash

fight 싸우다
ㅍㅇ·ㅏ·ㅣ·ㅌ 퐈이트

fight

throw 던지다
ㅆㅇ·ㄹㅇ·ㅗ·ㅜ 쓰로우

throw

연습문제

A 그림에 알맞은 영어 단어와 우리말 뜻을 골라 연결하세요.

- swim ·
- kick ·
- jump ·
- throw ·

- 발로차다
- 뛰어오르다
- 던지다
- 수영하다

B 그림에 알맞은 영어 단어를 적어보세요.

보기   point · wash · kill · eat · fight · answer

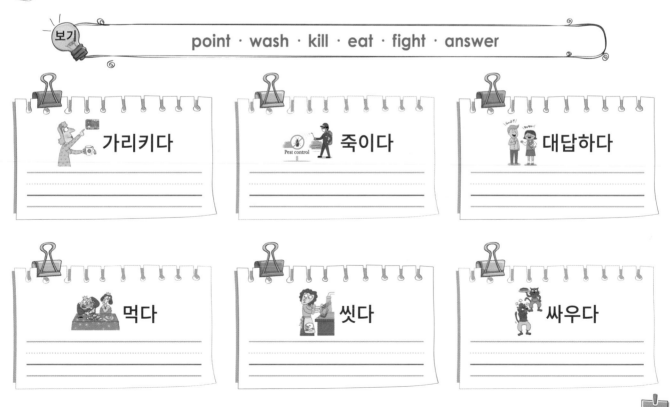

가리키다

죽이다

대답하다

먹다

씻다

싸우다

Day 4  Food 음식

 그림을 보고 듣고 읽고 쓰면 저절로 외워지는 단어

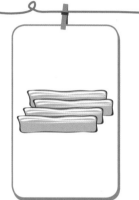

bacon
베이컨

ㅂ·ㅔ·ㅣ·ㅋ·ㅓ·ㄴ
베이컨

egg
달걀

ㅔ·ㄱ
에그

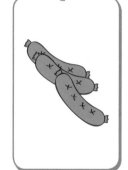

sausage
소시지

ㅆ·ㅗ·ㅅ·ㅣ·쥐
쏘-시쥐

beef
쇠고기

ㅂ·ㅣ·ㅍ
비-프

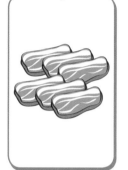

pork
돼지고기

ㅍ·ㅗ·ㄹ·ㅋ
포-크

sugar
설탕

슈·ㄱ·ㅓ
슈거

honey
꿀

ㅎ·ㅓ·ㄴ·ㅣ
허니

toast
토스트

ㅌ·ㅗ·ㅜ·ㅅ·ㅌ
토우스트

salt
소금

ㅆ·ㅗ·ㄹ·ㅌ
쏘-올트

fire
불

ㅍ·ㅏ·ㅣ·ㅓ
파이어

그림을 보고 읽고 소리내며 쓰세요!!

bacon 베이컨
ㅂ・ㅔ・ㅣ・ㅋ・ㅓ・ㄴ 베이컨

bacon

egg 달걀
ㅔ・ㄱ 에그

egg

sausage 소시지
ㅆ・ㅗ・ㅅ・ㅣ・쥐 쏘-시쥐

sausage

beef 쇠고기
ㅂ・ㅣ・ㅍ 비-프

beef

pork 돼지고기
ㅍ・ㅗ・ㄹ・ㅋ 포-크

pork

그림을 보고 읽고 소리내며 쓰세요 !!

sugar 설탕
슈+ㄱ+ㅓ 슈거

sugar

honey 꿀
ㅎ+ㅓ+ㄴ+ㅣ 허니

honey

toast 토스트
ㅌ+ㅗ+ㅜ+ㅅ+ㅌ 토우스트

toast

salt 소금
ㅆ+ㅗ+ㄹ+ㅌ 쏘-을트

salt

fire 불
ㅍ+ㅏ+ㅣ+ㅓ 파이어

fire

연습문제

A 그림에 알맞은 영어 단어와 우리말 뜻을 골라 연결하세요.

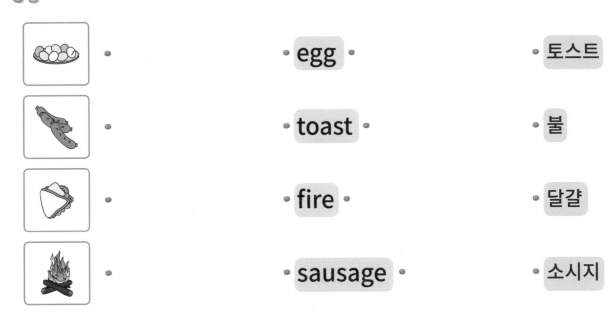

egg · · 토스트

toast · · 불

fire · · 달걀

sausage · · 소시지

B 그림에 알맞은 영어 단어를 적어보세요.

보기: beef · bacon · pork · honey · salt · sugar

베이컨

쇠고기

돼지고기

설탕

꿀

소금

23

Day 5  Quantity (세거나 잴 수 있는) 양

all
모두, 전부

ㅗ·ㄹ
오-르

any
어떤, 무슨,
무언가

ㅔ·ㄴ·ㅣ
에니

some
약간의

ㅆ·ㅓ·ㅁ
썸

much
많이, 많은

ㅁ·ㅓ·취
머취

more
더 많은 수(양)의

ㅁ·ㅗ·ㅓ
모-어

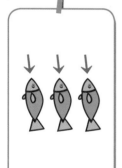

each
각각의

ㅣ·취
이-취

every
모든

ㅔ·ㅂ·ㄹ·ㅣ
에브뤼

few
거의 없는

ㅍ·ㅠ
퓨-

half
반, 절반

ㅎ·ㅐ·ㅍ
해프

lot
많음, 다량

ㄹ·ㅏ·ㅌ
랕

그림을 보고 읽고 소리내며 쓰세요 !!

all 모두, 전부
ㅗ·ㄹ 오-ㄹ

all

any 어떤, 무슨, 무언가
ㅔ·ㄴ·ㅣ 에니

any

some 약간의
ㅆ·ㅓ·ㅁ 썸

some

much 많이, 많은
ㅁ·ㅓ·취 머취

much

more 더 많은 수(양)의
ㅁ·ㅗ·ㅓ 모-어

more

그림을 보고 읽고 소리내며 쓰세요!!

each 각각의
ㅣ+취 이-취

each

every 모든
ㅔ+ㅂ+ㄹ+ㅣ 에브뤼

every

few 거의 없는
ㅍ+ㅠ 퓨-

few

half 반, 절반
ㅎ+ㅐ+ㅍ 해프

half

lot 많음, 다량
ㄹ+ㅏ+ㅌ 랕

lot

26

A 그림에 알맞은 영어 단어와 우리말 뜻을 골라 연결하세요.

few · · 반, 절반

half · · 거의 없는

every · · 모든

each · · 각각의

B 그림에 알맞은 영어 단어를 적어보세요.

보기   some · all · any · more · lot · much

모두, 전부

어떤, 무슨, 무언가

약간의

많이, 많은

더 많은 수(양)의

많음, 다량

Day 6  School 학교

 그림을 보고 듣고 읽고 쓰면 저절로 외워지는 단어

map
지도
ㅁ·ㅐ·ㅍ
맵

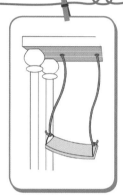

swing
그네
ㅅ·ㅟ·ㅇ
스윙

crayon
크레용
ㅋ·ㄹ·ㅔ·ㅣ·ㅓ·ㄴ
크뤠이언

scissors
가위
ㅆ·ㅣ·ㅈ·ㅓ·ㄹ·ㅈ
씨저즈

lesson
수업
ㄹ·ㅔ·ㅅ·ㄴ
레슨

classmate
급우
ㅋ·ㄹ·ㄹ·ㅐ·ㅅ·ㅁ·ㅔ·ㅣ·ㅌ
클래스메이트

read
읽다
ㄹ·ㅣ·ㄷ
뤼-드

write
쓰다
ㄹ·ㅣ·ㅣ·ㅌ
롸이트

study
공부하다
ㅅ·ㅌ·ㅓ·ㄷ·ㅣ
스터디

page
페이지, 쪽
ㅍ·ㅔ·ㅣ·쥐
페이쥐

그림을 보고 읽고 소리내며 쓰세요!!

map 지도 ㅁ·ㅐ·ㅍ 맵	map

swing 그네 ㅅ·ㅟ·ㅇ 스윙	swing

crayon 크레용 ㅋ·ㄹ·ㅇ·ㅔ·ㅣ·ㅓ·ㄴ 크뤠이언	crayon

scissors 가위 ㅆ·ㅣ·ㅈ·ㅓ·ㄹ·ㅇ·ㅈ 씨저즈	scissors

lesson 수업 ㄹ·ㅔ·ㅅ·ㄴ 레슨	lesson

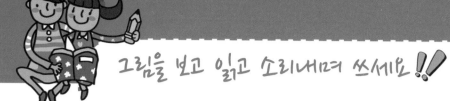

그림을 보고 읽고 소리내며 쓰세요!!

classmate 급우
ㅋ·ㄹ·래·스·ㅁ·에·ㅣ·ㅌ 클래스메이트

classmate

read 읽다
ㄹ아·ㅣ·ㄷ 뤼-드

read

write 쓰다
ㄹ아·ㅏ·ㅣ·ㅌ 롸이트

write

study 공부하다
ㅅ·ㅌ·ㅓ·ㄷ·ㅣ 스터디

study

page 페이지, 쪽
ㅍ·ㅔ·ㅣ·쥐 페이쥐

page

연습문제

A 그림에 알맞은 영어 단어와 우리말 뜻을 골라 연결하세요.

swing · · 크레용

crayon · · 가위

scissors · · 지도

map · · 그네

B 그림에 알맞은 영어 단어를 적어보세요.

보기   read · lesson · study · classmate · write · page

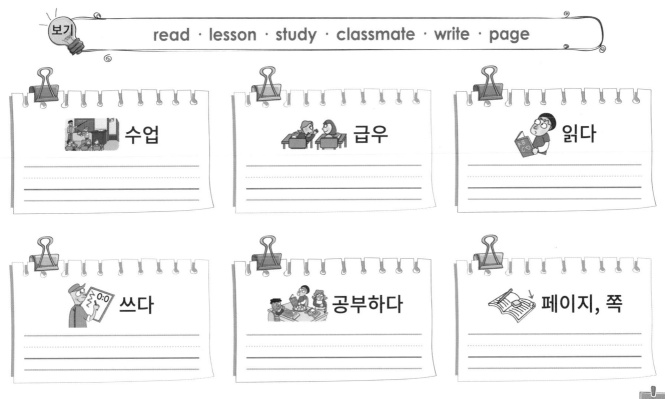

수업

급우

읽다

쓰다

공부하다

페이지, 쪽

Day 7  Stuff 물건

 그림을 보고 듣고 읽고 쓰면 저절로 외워지는 단어

album
앨범
ㅐ·ㄹ·ㅂ·ㅓ·ㅁ
앨범

balloon
풍선
ㅂ·ㅓ·ㄹ·ㄹ·ㅜ·ㄴ
벌루-ㄴ

basket
바구니
ㅂ·ㅐ·ㅅ·ㅋ·ㅣ·ㅌ
배스킽

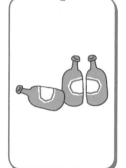

bottle
병
ㅂ·ㅏ·ㅌ·ㄹ
바-들

candle
양초
ㅋ·ㅐ·ㄴ·ㄷ·ㄹ
캔들

toy
장난감
ㅌ·ㅗ·ㅣ
토이

card
카드
ㅋ·ㅏ·ㄹ·ㅇ·ㄷ
카-드

coin
동전
ㅋ·ㅗ·ㅣ·ㄴ
코인

doll
인형
ㄷ·ㅗ·ㄹ
도-ㄹ

key
열쇠
ㅋ·ㅣ
키-

32

그림을 보고 읽고 소리내며 쓰세요!!

album 앨범
ㅐ·ㄹ·ㅂ·ㅓ·ㅁ 앨범

album

balloon 풍선
ㅂ·ㅓ·ㄹ·ㄹ·ㅜ·ㄴ 벌루-ㄴ

balloon

basket 바구니
ㅂ·ㅐ·ㅅ·ㅋ·ㅣ·ㅌ 배스킽

basket

bottle 병
ㅂ·ㅏ·ㅌ·ㄹ 바-들

bottle

candle 양초
ㅋ·ㅐ·ㄴ·ㄷ·ㄹ 캔들

candle

그림을 보고 읽고 소리내며 쓰세요 !!

toy 장난감
ㅌ + ㅗ + ㅣ 토이

toy

card 카드
ㅋ + ㅏ + ㄹ + ㄷ 카-드

card

coin 동전
ㅋ + ㅗ + ㅣ + ㄴ 코인

coin

doll 인형
ㄷ + ㅗ + ㄹ 도-ㄹ

doll

key 열쇠
ㅋ + ㅣ 키-

key

연습문제

A 그림에 알맞은 영어 단어와 우리말 뜻을 골라 연결하세요.

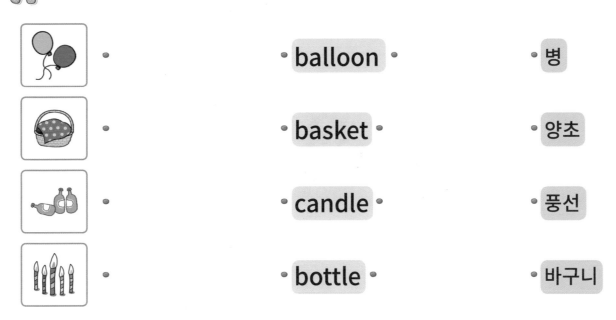

balloon · · 병

basket · · 양초

candle · · 풍선

bottle · · 바구니

B 그림에 알맞은 영어 단어를 적어보세요.

보기: toy · album · card · doll · coin · key

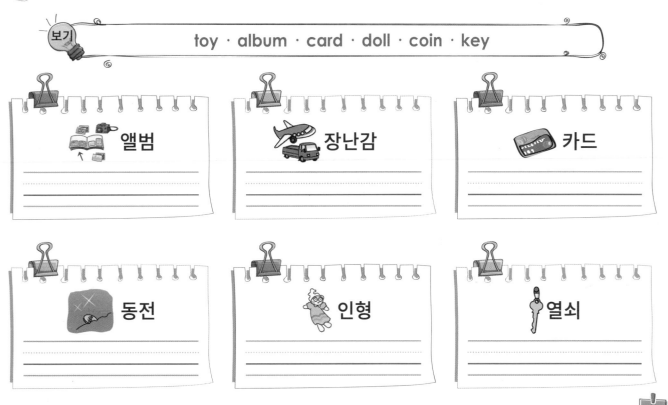

앨범

장난감

카드

동전

인형

열쇠

Day 8  People 1 사람들 1

 그림을 보고 듣고 읽고 쓰면 저절로 외워지는 단어

kid
어린아이

ㅋ·ㅣ·ㄷ
키드

king
왕

ㅋ·ㅣ·ㅇ
킹

queen
여왕, 왕비

ㅋ·ㅟ·ㄴ
크위-ㄴ

husband
남편

ㅎ·ㅣ·ㅈ·ㅂ·ㅓ·ㄴ·ㄷ
허즈번드

wife
부인

ㅍ·ㅏ·ㅣ·ㅍ·ㅇ
와이프

child
아이

촤·ㅣ·ㄹ·ㄷ
촤일드

uncle
아저씨

ㅣ·ㅇ·ㅋ·ㄹ
엉클

aunt
이모, 고모

ㅐ·ㄴ·ㅌ
앤트

niece
조카딸

ㄴ·ㅣ·ㅆ
니-쓰

cousin
사촌

ㅋ·ㅓ·ㅈ·ㄴ
커즌

36

그림을 보고 읽고 소리내며 쓰세요!!

kid 어린아이
ㅋ·ㅣ·ㄷ 키드

kid

king 왕
ㅋ·ㅣ·ㅇ 킹

king

queen 여왕, 왕비
ㅋ·ㅟ·ㄴ 크위-ㄴ

queen

husband 남편
ㅎ·ㅓ·ㅈ·ㅂ·ㅓ·ㄴ·ㄷ 허즈번드

husband

wife 부인
ㅘ·ㅣ·ㅍㅇ 와이프

wife

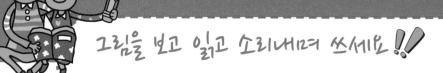

그림을 보고 읽고 소리내며 쓰세요!!

child 아이
ㅊ·ㅣ·ㄹ·ㄷ 촤일드

child

uncle 아저씨
ㅓ·ㅇ·ㅋ·ㄹ 엉클

uncle

aunt 이모, 고모
ㅐ·ㄴ·ㅌ 앤트

aunt

niece 조카딸
ㄴ·ㅣ·ㅆ 니-쓰

niece

cousin 사촌
ㅋ·ㅓ·ㅈ·ㄴ 커즌

cousin

A 그림에 알맞은 영어 단어와 우리말 뜻을 골라 연결하세요.

- wife -
- husband -
- king -
- queen -

- 부인
- 여왕, 왕비
- 왕
- 남편

B 그림에 알맞은 영어 단어를 적어보세요.

보기 cousin · uncle · kid · child · niece · aunt

어린아이

아이

아저씨

이모, 고모

조카딸

사촌

Day 9  People 2 사람들 2

 그림을 보고 듣고 읽고 쓰면 저절로 외워지는 단어

baby
아기

ㅂ+ㅔ+ㅣ+ㅂ+ㅣ
베이비

dad
아빠

ㄷ+ㅐ+ㄷ
대드

mom
엄마

ㅁ+ㅏ+ㅁ
맘

lady
부인

ㄹ+ㅔ+ㅣ+ㄷ+ㅣ
레이디

Miss
~양, 미스

ㅁ+ㅣ+ㅆ
미쓰

Mr.
~씨

ㅁ+ㅣ+ㅅ+ㅌ+ㅓ
미스터

Mrs.
~씨 부인

ㅁ+ㅣ+ㅆ+ㅣ+ㅈ
미씨즈

sir
님, 귀하

ㅆ+ㅓ+ㄹ+ㅇ
써-

boy
소년

ㅂ+ㅗ+ㅣ
보이

girl
소녀

ㄱ+ㅓ+ㄹ+ㅇ+ㄹ
거-ㄹ

그림을 보고 읽고 소리내며 쓰세요!!

baby 아기
ㅂ+ㅔ+ㅣ+ㅂ+ㅣ 베이비

baby

dad 아빠
ㄷ+ㅐ+ㄷ 대드

dad

mom 엄마
ㅁ+ㅏ+ㅁ 맘

mom

lady 부인
ㄹ+ㅔ+ㅣ+ㄷ+ㅣ 레이디

lady

Miss ~양, 미스
ㅁ+ㅣ+ㅆ 미쓰

Miss

그림을 보고 읽고 소리내며 쓰세요!!

Mr. ~씨
ㅁ+ㅣ+ㅅ+ㅌ+ㅓ 미스터

Mr.

Mrs. ~씨 부인
ㅁ+ㅣ+ㅆ+ㅣ+ㅈ 미씨즈

Mrs.

sir 님, 귀하
ㅆ+ㅓ+ㄹ° 써-

sir

boy 소년
ㅂ+ㅗ+ㅣ 보이

boy

girl 소녀
ㄱ+ㅓ+ㄹ°+ㄹ 거-ㄹ

girl

42

연습문제

Ⓐ 그림에 알맞은 영어 단어와 우리말 뜻을 골라 연결하세요.

mom · · 소녀

boy · · 아기

girl · · 엄마

baby · · 소년

Ⓑ 그림에 알맞은 영어 단어를 적어보세요.

보기   Mr. · Miss · dad · Mrs. · lady · sir

아빠

부인

~양, 미스

~씨

~씨 부인

님, 귀하

43

Day 10  State 1 상태 1

 그림을 보고 듣고 읽고 쓰면 저절로 외워지는 단어

stupid
어리석은

ㅅ·ㅌ·ㅠ·ㅍ·ㅣ·ㄷ
스뜌-피드

warm
따뜻한

ㅈ·ㄹ·ㅇ·ㅁ
워-ㅁ

cool
시원한

ㅋ·ㅜ·ㄹ
쿠-ㄹ

dirty
더러운

ㄷ·ㅣ·ㄹ·ㅌ·ㅣ
더-디

clean
깨끗한

ㅋ·ㄹ·ㄹ·ㅣ·ㄴ
클리-ㄴ

dead
죽은

ㄷ·ㅔ·ㄷ
데드

high
높은

ㅎ·ㅏ·ㅣ
하이

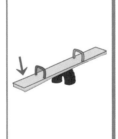

low
낮은

ㄹ·ㅗ·ㅜ
로우

new
새로운

ㄴ·ㅠ
뉴-

real
진짜의

ㄹ·ㅇ·ㅣ·ㅓ·ㄹ
뤼-얼

44

그림을 보고 읽고 소리내며 쓰세요!!

stupid 어리석은
ㅅ·ㅌ·ㅠ·ㅍ·ㅣ·ㄷ 스뜌-피드

stupid

warm 따뜻한
ㅓ·ㄹ·ㅇ·ㅁ 워-ㅁ

warm

cool 시원한
ㅋ·ㅜ·ㄹ 쿠-ㄹ

cool

dirty 더러운
ㄷ·ㅓ·ㄹ·ㅇ·ㅌ·ㅣ 더-디

dirty

clean 깨끗한
ㅋ·ㄹ·ㄹ·ㅣ·ㄴ 클리-ㄴ

clean

dead 죽은
ㄷ·ㅔ·ㄷ 데드

dead

high 높은
ㅎ·ㅏ·ㅣ 하이

high

low 낮은
ㄹ·ㅗ·ㅜ 로우

low

new 새로운
ㄴ·ㅠ 뉴-

new

real 진짜의
ㄹㅇ·ㅣ·ㅓ·ㄹ 뤼-얼

real

연습문제

A 그림에 알맞은 영어 단어와 우리말 뜻을 골라 연결하세요.

low · · 더러운

high · · 따뜻한

dirty · · 낮은

warm · · 높은

B 그림에 알맞은 영어 단어를 적어보세요.

보기   cool · stupid · clean · real · new · dead

어리석은

시원한

깨끗한

죽은

새로운

진짜의

Day 11  State 2 상태 2

 그림을 보고 듣고 읽고 쓰면 저절로 외워지는 단어

wide
폭이 넓은
와이드

strong
강한
스트로-응

weak
약한
위-크

quiet
조용한
콰이어트

strange
이상한
스트뤠인쥐

hard
단단한
하-드

soft
부드러운
소-프트

wrong
나쁜, 잘못된
로-응

fine
좋은, 훌륭한
퐈인

calm
차분한, 잔잔한
카-ㅁ

48

그림을 보고 읽고 소리내며 쓰세요!!

wide 폭이 넓은

ㅘ+ㅣ+ㄷ 와이드

wide

strong 강한

ㅅ+ㅌ+ㄹㅇ+ㅗ+ㅇ 스트로-응

strong

weak 약한

ㅟ+ㅋ 위-크

weak

quiet 조용한

ㅋ+ㅘ+ㅣ+ㅓ+ㅌ 콰이어트

quiet

strange 이상한

ㅅ+ㅌ+ㄹㅇ+ㅔ+ㅣ+ㄴ+쥐 스트뤠인쥐

strange

그림을 보고 읽고 소리내며 쓰세요 !!

hard 단단한
ㅎ+ㅏ+ㄹ+ㄷ 하-드

hard

soft 부드러운
ㅅ+ㅗ+ㅍ+ㅌ 소-프트

soft

wrong 나쁜, 잘못된
ㄹ+ㅗ+ㅇ 로-응

wrong

fine 좋은, 훌륭한
ㅍ+ㅏ+ㅣ+ㄴ 퐈인

fine

calm 차분한, 잔잔한
ㅋ+ㅏ+ㅁ 카-ㅁ

calm

A 그림에 알맞은 영어 단어와 우리말 뜻을 골라 연결하세요.

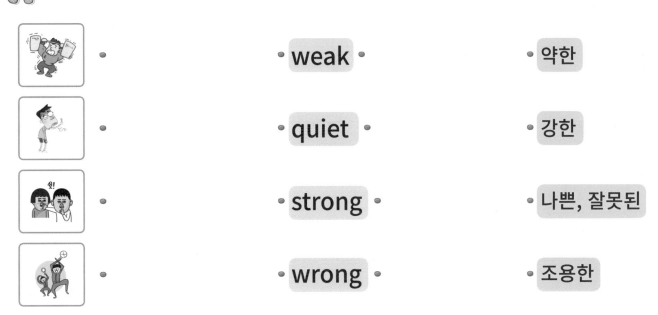

- weak ·   · 약한
- quiet ·   · 강한
- strong ·   · 나쁜, 잘못된
- wrong ·   · 조용한

B 그림에 알맞은 영어 단어를 적어보세요.

보기   strange · wide · hard · fine · calm · soft

폭이 넓은

이상한

단단한

부드러운

좋은, 훌륭한

차분한, 잔잔한

Day 12  Feeling 감정

 그림을 보고 듣고 읽고 쓰면 저절로 외워지는 단어

afraid
두려워하는

ㅓ·ㅍ·ㄹ·ㅔ·ㅣ·ㄷ
어프뤠이드

peace
평화

ㅍ·ㅣ·ㅆ
피-쓰

nice
좋은, 멋진

ㄴ·ㅏ·ㅣ·ㅆ
나이쓰

brave
용감한

ㅂ·ㄹ·ㅔ·ㅣ·ㅂ
브뤠이브

sorry
가엾은, 미안한

ㅆ·ㅗ·ㄹ·ㅣ
쏘-뤼

shy
수줍어하는

쉬·ㅏ·ㅣ
샤이

tired
피곤한, 싫증난

ㅌ·ㅏ·ㅣ·ㅓ·ㄹ·ㄷ
타이어드

gentle
온화한

ㅈ·ㅔ·ㄴ·ㅌ·ㄹ
젠틀

joyful
즐거운

ㅈ·ㅗ·ㅣ·ㅍ·ㅓ·ㄹ
죠이플

sure
확신하는

ㅅ·ㅠ·ㅓ
슈어

52

그림을 보고 읽고 소리내며 쓰세요!!

afraid 두려워하는
ㅓ+ㅍ+ㄹ+ㅔ+ㅣ+ㄷ 어프뤠이드

afraid

peace 평화
ㅍ+ㅣ+ㅆ 피-쓰

peace

nice 좋은, 멋진
ㄴ+ㅏ+ㅣ+ㅆ 나이쓰

nice

brave 용감한
ㅂ+ㄹ+ㅔ+ㅣ+ㅂ 브뤠이브

brave

sorry 가엾은, 미안한
ㅆ+ㅗ+ㄹ+ㅣ 쏘-뤼

sorry

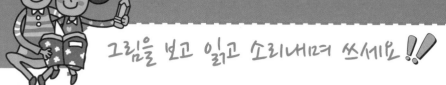

그림을 보고 읽고 소리내며 쓰세요!!

shy 수줍어하는
쉬·ㅏ·ㅣ 샤이

shy

tired 피곤한, 싫증난
ㅌ·ㅏ·ㅣ·ㄹ·ㄷ 타이어드

tired

gentle 온화한
젠·ㅌ·ㄹ 젠틀

gentle

joyful 즐거운
죠·ㅣ·ㅍ·ㄹ 죠이플

joyful

sure 확신하는
슈·ㄹ 슈어

sure

연습문제

A 그림에 알맞은 영어 단어와 우리말 뜻을 골라 연결하세요.

sorry · · 즐거운

joyful · · 가엾은, 미안한

peace · · 좋은, 멋진

nice · · 평화

B 그림에 알맞은 영어 단어를 적어보세요.

보기   sure · afraid · shy · brave · gentle · tired

두려워하는

용감한

수줍어하는

피곤한, 싫증난

온화한

확신하는

55

Day 13 Body 몸

🎧))) 그림을 보고 듣고 읽고 쓰면 저절로 외워지는 단어

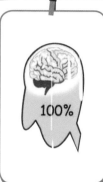

brain
뇌

ㅂ·ㄹ·ㅇ·ㅔ·ㅣ·ㄴ
브뢰인

forehead
이마

ㅍ·ㅗ·ㅓ·ㄹ·ㅎ·ㅔ·ㄷ
포-어헤드

eyebrow
눈썹

ㅇ·ㅣ·ㅂ·ㄹ·ㅇ·ㅏ·ㅜ
아이브롸우

tooth
치아

ㅌ·ㅜ·ㅆ
투-쓰

tongue
혀

ㅌ·ㅓ·ㅇ
텅

chest
가슴

ㅊ·ㅔ·ㅅ·ㅌ
쳬스트

fist
주먹

ㅍ·ㅇ·ㅅ·ㅌ
퓌스트

back
등

ㅂ·ㅐ·ㅋ
빽

stomach
위

ㅅ·ㅌ·ㅓ·ㅁ·ㅓ·ㅋ
스떠머크

hip
엉덩이

ㅎ·ㅣ·ㅍ
힢

56

그림을 보고 읽고 소리내며 쓰세요!!

brain 뇌
ㅂ·ㄹ·ㅔ·ㅣ·ㄴ 브뢰인

brain

forehead 이마
ㅍ·ㅗ·ㅓ·ㄹ·ㅎ·ㅔ·ㄷ 포-어헤드

forehead

eyebrow 눈썹
ㅏ·ㅣ·ㅂ·ㄹ·ㅏ·ㅜ 아이브롸우

eyebrow

tooth 치아
ㅌ·ㅜ·ㅆ 투-쓰

tooth

tongue 혀
ㅌ·ㅓ·ㅇ 텅

tongue

chest 가슴
ㅊ+ㅔ+ㅅ+ㅌ 췌스트

chest

fist 주먹
ㅍ+ㅅ+ㅌ 퓌스트

fist

back 등
ㅂ+ㅐ+ㅋ 백

back

stomach 위
ㅅ+ㅌ+ㅓ+ㅁ+ㅓ+ㅋ 스떠머크

stomach

hip 엉덩이
ㅎ+ㅣ+ㅍ 힢

hip

A 그림에 알맞은 영어 단어와 우리말 뜻을 골라 연결하세요.

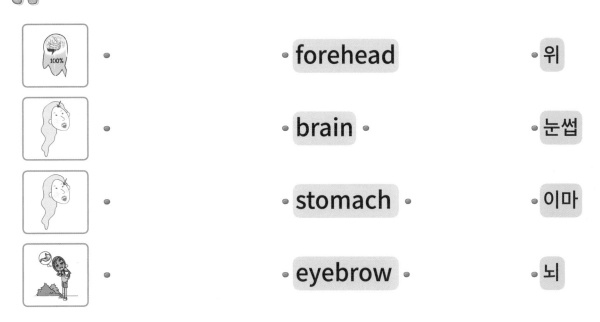

- forehead   · 위
- brain ·   · 눈썹
- stomach ·   · 이마
- eyebrow ·   · 뇌

B 그림에 알맞은 영어 단어를 적어보세요.

보기   fist · tooth · chest · back · hip · tongue

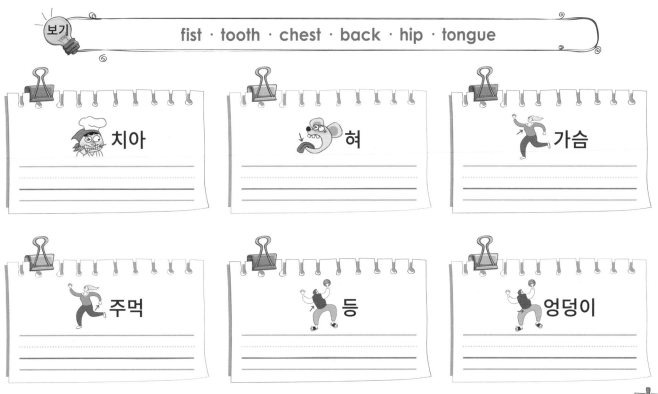

치아

혀

가슴

주먹

등

엉덩이

Day 14  Thing 사물

 그림을 보고 듣고 읽고 쓰면 저절로 외워지는 단어

computer
컴퓨터

ㅋ ㅓ ㅁ ㅍ ㅠ ㅌ ㅓ
컴퓨-더

iron
다리미

ㅇ ㅏ ㅇ ㅓ ㄴ
아이언

cleaner
청소기

ㅋ ㄹ ㄹ ㅣ ㄴ ㅓ
클리-너

microwave
전자레인지

ㅁ ㅏ ㅇ ㅣ ㅋ ㄹ 워 ㅣ ㅔ ㅣ ㅂ
마이크뤄웨이브

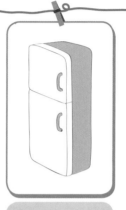

refrigerator
냉장고

ㄹ ㅣ ㅍ ㄹ ㅣ ㅈ 뤄 ㅣ ㅔ ㅣ ㄷ
뤼프뤼줘뤠이더

towel
타월

ㅌ ㅏ ㅜ ㅓ ㄹ
타우얼

hammer
망치, 해머

ㅎ ㅐ ㅁ ㅓ
해머

glue
접착제

ㄱ ㄹ ㄹ ㅜ
글루-

comb
빗

ㅋ ㅗ ㅜ ㅁ
코움

shampoo
샴푸

쉬 ㅐ ㅁ ㅍ ㅜ
섐푸-

60

그림을 보고 읽고 소리내며 쓰세요!!

computer 컴퓨터
ㅋ·ㅣ·ㅁ·ㅍ·ㅠ·ㅌ·ㅓ 컴퓨-더

computer

iron 다리미
ㅏ·ㅣ·ㅓ·ㄴ 아이언

iron

cleaner 청소기
ㅋ·ㄹ·ㄹ·ㅣ·ㄴ·ㅓ 클리-너

cleaner

microwave 전자레인지
ㅁ·ㅏ·ㅣ·ㅋ·ㄹ·ㅓ·ㅔ·ㅣ·ㅂ
마이크뤄웨이브

microwave

refrigerator 냉장고
ㄹ·ㅍ·ㄹ·ㅣ·ㅈ·ㄹ·ㅔ·ㅣ·ㅌ·ㅓ·ㄹ
뤼프뤼줘뤠이더

refrigerator

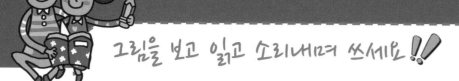

그림을 보고 읽고 소리내며 쓰세요!!

towel 타월 ㅌ·ㅏ·ㅜ·ㅓ·ㄹ 타우얼	towel	

hammer 망치, 해머 ㅎ·ㅐ·ㅁ·ㅓ 해머	hammer	

glue 접착제 ㄱ·ㄹ·ㄹ·ㅜ 글루-	glue	

comb 빗 ㅋ·ㅗ·ㅜ·ㅁ 코움	comb	

shampoo 샴푸 쉬·ㅐ·ㅁ·ㅍ·ㅜ 샘푸-	shampoo	

연습문제

Ⓐ 그림에 알맞은 영어 단어와 우리말 뜻을 골라 연결하세요.

· comb ·   · 타월

· towel ·   · 빗

· refrigerator ·   · 전자레인지

· microwave ·   · 냉장고

Ⓑ 그림에 알맞은 영어 단어를 적어보세요.

보기   hammer · computer · shampoo · cleaner · glue · iron

컴퓨터

다리미

청소기

망치, 해머

접착제

샴푸

Day 15  Number 숫자

 그림을 보고 듣고 읽고 쓰면 저절로 외워지는 단어

0	**11**	**12**	**13**	**14**
zero 영(0)	**eleven** 11	**twelve** 12	**thirteen** 13	**fourteen** 14
ㅈㅣㄹㅗㅜ 지로우	ㅣㄹㄹㅔㅂㅡㄴ 일레번	ㅌㅔㄹㅂㅓ 트웰브	ㅆㅓㄹㅌㅣㄴ 써-티-인	ㅍㅗㅅㅌㅣㄴ 포-티-인

15	**16**	**17**	**18**	**19**
fifteen 15	**sixteen** 16	**seventeen** 17	**eighteen** 18	**nineteen** 19
ㅍㅣㅍㅌㅣㄴ 피프티-인	ㅆㅣㅋㅅㅌㅣㄴ 씩스티-인	ㅆㅔㅂㅡㄴㅌㅣㄴ 쎄븐티-인	ㅔㅣㅌㅣㄴ 에이티-인	ㄴㅏㅣㄴㅌㅣㄴ 나인티-인

그림을 보고 읽고 소리내며 쓰세요!

0 | **zero** 영(0)
ㅈ+ㅣ+ㄹ+ㅗ+ㅜ 지로우

zero

11 | **eleven** 11
ㅣ+ㄹ+ㄹ+ㅔ+ㅂ+ㅡ+ㄴ 일레븐

eleven

12 | **twelve** 12
ㅌ+ㅔ+ㄹ+ㅂ 트웰브

twelve

13 | **thirteen** 13
ㅆ+ㅓ+ㄹ+ㅌ+ㅣ+ㄴ 써-티-인

thirteen

14 | **fourteen** 14
ㅍ+ㅗ+ㅌ+ㅣ+ㄴ 포-티-인

fourteen

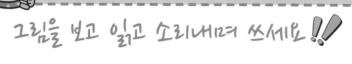 그림을 보고 읽고 소리내며 쓰세요!!

15 | **fifteen** 15
ㅍㅇ·ㅣ·ㅍㅇ·ㅌ·ㅣ·ㄴ 피프티-인 | fifteen

16 | **sixteen** 16
ㅆ·ㅣ·ㅋ·ㅅ·ㅌ·ㅣ·ㄴ 씩스티-인 | sixteen

17 | **seventeen** 17
ㅆ·ㅔ·ㅂㅇ·ㅡ·ㄴ·ㅌ·ㅣ·ㄴ 쎄븐티-인 | seventeen

18 | **eighteen** 18
ㅔ·ㅣ·ㅌ·ㅣ·ㄴ 에이티-인 | eighteen

19 | **nineteen** 19
ㄴ·ㅏ·ㅣ·ㄴ·ㅌ·ㅣ·ㄴ 나인티-인 | nineteen

연습문제

A 그림에 알맞은 영어 단어와 우리말 뜻을 골라 연결하세요.

16	·	· sixteen ·	· 19
17	·	· eighteen ·	· 18
18	·	· nineteen ·	· 17
19	·	· seventeen ·	· 16

B 그림에 알맞은 영어 단어를 적어보세요.

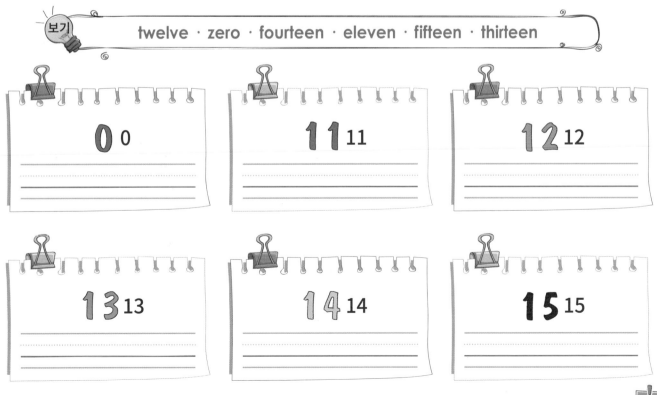

보기 twelve · zero · fourteen · eleven · fifteen · thirteen

0 0

11 11

12 12

13 13

14 14

15 15

Day 16  Degree 정도

 그림을 보고 듣고 읽고 쓰면 저절로 외워지는 단어

again
한 번 더

ㅓ·ㄱ·ㅔ·ㄴ
어겐

very
아주

ㅂ·ㅔ·ㄹ·ㅣ
붸뤼

well
잘, 훌륭하게

ㅞ·ㄹ
웰

often
흔히, 자주

ㅗ·ㅍ·ㅡ·ㄴ
오-픈

usual
흔히 있는

ㅠ·ㅈ·ㅠ·ㅓ·ㄹ
유-쥬얼

than
~보다

ㄷ·ㅔ·ㄴ
덴

till
~까지

ㅌ·ㅣ·ㄹ
틸

great
거대한

ㄱ·ㄹ·ㅔ·ㅣ·ㅌ
그뤠이트

ready
준비된

ㄹ·ㅔ·ㄷ·ㅣ
뤠디

quick
빠른

ㅋ·ㅟ·ㅋ
퀵

그림을 보고 읽고 소리내며 쓰세요!!

again 한 번 더
ㅓ·ㄱ·ㅔ·ㄴ 어겐

again

very 아주
ㅂ·ㅔ·ㄹ·ㅣ 붸뤼

very

well 잘, 훌륭하게
ㅞ·ㄹ 웰

well

often 흔히, 자주
ㅗ·ㅍ·ㅡ·ㄴ 오-픈

often

usual 흔히 있는
ㅠ·ㅈ·ㅠ·ㅓ·ㄹ 유-쥬얼

usual

69

그림을 보고 읽고 소리내며 쓰세요 !!

than ~보다
ㄷㅇ·ㅔ·ㄴ 덴

than

till ~까지
ㅌ·ㅣ·ㄹ 틸

till

great 거대한
ㄱ·ㄹㅇ·ㅔ·ㅣ·ㅌ 그뤠이트

great

ready 준비된
ㄹㅇ·ㅔ·ㄷ·ㅣ 뤠디

ready

quick 빠른
ㅋ·ㅟ·ㅋ 퀵

quick

연습문제

A 그림에 알맞은 영어 단어와 우리말 뜻을 골라 연결하세요.

very · · 준비된

quick · · 거대한

great · · 아주

ready · · 빠른

B 그림에 알맞은 영어 단어를 적어보세요.

보기 often · again · till · well · than · usual

한 번 더

잘, 훌륭하게

흔히, 자주

흔히 있는

~보다

~까지

Day 17  Math 수학

 그림을 보고 듣고 읽고 쓰면 저절로 외워지는 단어

add
더하다

ㅐ·ㄷ
애드

plus
더하기

ㅍ·ㅡ·ㄹㄹ·ㅓ·ㅅ
플러스

minus
빼기

ㅁ·ㅏ·ㅇㅣ·ㄴ·ㅓ·ㅅ
마이너스

line
선

ㄹ·ㅏ·ㅇㅣ·ㄴ
라인

curve
곡선

ㅋ·ㅓ·ㄹ·ㅂ
커-브

problem
문제

ㅍ·ㄹ·ㅇ·ㅏ·ㅂ·ㅡ·ㄹㄹ·ㅓ·ㅁ
프롸-블럼

number
숫자

ㄴ·ㅓ·ㅁ·ㅂ·ㅓ
넘버

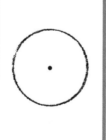

circle
원

ㅆ·ㅓ·ㄹ·ㅇ·ㅋ·ㄹ
써-클

pair
한 쌍

ㅍ·ㅔ·ㅓ
페어

same
똑같은

ㅆ·ㅔ·ㅇㅣ·ㅁ
쎄임

그림을 보고 읽고 소리내며 쓰세요!!

add 더하다
ㅐ·ㄷ 애드

add

plus 더하기
ㅍ·ㅡ·ㄹ·ㄹ·ㅓ·ㅅ 플러스

plus

minus 빼기
ㅁ·ㅏ·ㅣ·ㄴ·ㅓ·ㅅ 마이너스

minus

line 선
ㄹ·ㅏ·ㅣ·ㄴ 라인

line

curve 곡선
ㅋ·ㅓ·ㄹ·ㅇ·ㅂ·ㅇ 커-브

curve

problem 문제
ㅍ+ㄹ+ㅏ+ㅂ+ㅡ+ㄹ+ㄹ+ㅓ+ㅁ 프롸-블럼

problem

number 숫자
ㄴ+ㅓ+ㅁ+ㅂ+ㅓ 넘버

number

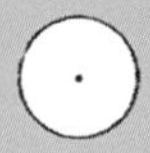

circle 원
ㅆ+ㅓ+ㄹ+ㅇ+ㅋ+ㄹ 써-클

circle

pair 한 쌍
ㅍ+ㅔ+ㅓ 페어

pair

same 똑같은
ㅆ+ㅔ+ㅣ+ㅁ 쎄임

same

74

연습문제

A 그림에 알맞은 영어 단어와 우리말 뜻을 골라 연결하세요.

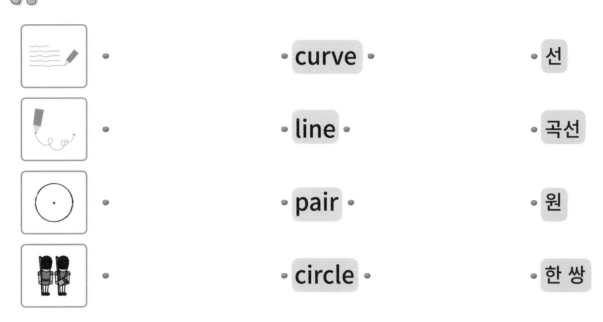

- curve ·
- line ·
- pair ·
- circle ·

- · 선
- · 곡선
- · 원
- · 한 쌍

B 그림에 알맞은 영어 단어를 적어보세요.

보기   number · add · minus · same · plus · problem

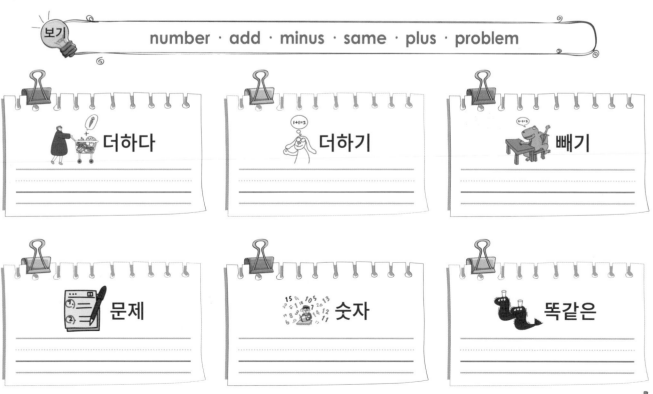

더하다

더하기

빼기

문제

숫자

똑같은

Day 18  Time 시간

 그림을 보고 듣고 읽고 쓰면 저절로 외워지는 단어

today
오늘

ㅌ·ㅜ·ㄷ·ㅔ·ㅣ
투데이

yesterday
어제

ㅖ·ㅅ·ㅌ·ㅓ·ㄷ·ㅔ·ㅣ
예스터데이

tomorrow
내일

ㅌ·ㅜ·ㅁ·ㅏ·ㄹ·ㅗ·ㅜ
투마-로우

tonight
오늘 밤

ㅌ·ㅜ·ㄴ·ㅏ·ㅣ·ㅌ
투나이트

breakfast
아침식사

ㅂ·ㄹ·ㅔ·ㄱ·ㅍ·ㅓ·ㅣ·ㅅ·ㅌ
브렉풔스트

lunch
점심식사

ㄹ·ㅓ·ㄴ·ㅊ·ㅟ
런취

dinner
저녁식사

ㄷ·ㅣ·ㄴ·ㅓ
디너

twice
두 번

ㅌ·ㅘ·ㅣ·ㅆ
트와이쓰

when
~할 때, 언제

ㅞ·ㄴ
웬

year
해, 년

ㅣ·ㅓ
이어

76

그림을 보고 읽고 소리내며 쓰세요!!

today 오늘
ㅌ+ㅜ+ㄷ+ㅔ+ㅣ 투데이

today

yesterday 어제
ㅖ+ㅅ+ㅌ+ㅓ+ㄷ+ㅔ+ㅣ 예스터데이

yesterday

tomorrow 내일
ㅌ+ㅜ+ㅁ+ㅏ+ㄹ+ㅗ+ㅜ 투마-로우

tomorrow

tonight 오늘 밤
ㅌ+ㅜ+ㄴ+ㅏ+ㅣ+ㅌ 투나이트

tonight

breakfast 아침식사
ㅂ+ㄹ+ㅔ+ㅋ+ㅍ+ㅓ+ㅅ+ㅌ 브뤡풔스트

breakfast

그림을 보고 읽고 소리내며 쓰세요!!

lunch 점심식사
ㄹ·ㅓ·ㄴ·ㅊ·ㅟ 런취

lunch

dinner 저녁식사
ㄷ·ㅣ·ㄴ·ㅓ 디너

dinner

twice 두 번
ㅌ·ㅘ·ㅣ·ㅆ 트와이쓰

twice

when ~할 때, 언제
ㅞ·ㄴ 웬

when

year 해, 년
ㅣ·ㅓ 이어

year

A 그림에 알맞은 영어 단어와 우리말 뜻을 골라 연결하세요.

year · · 해, 년

twice · · 저녁식사

dinner · · 두 번

tonight · · 오늘 밤

B 그림에 알맞은 영어 단어를 적어보세요.

보기   lunch · today · breakfast · yesterday · tomorrow · when

오늘

어제

내일

아침식사

점심식사

~할 때, 언제

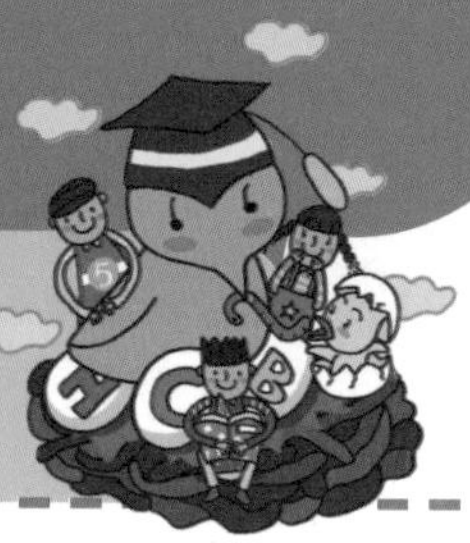

Day 19 Science 과학

그림을 보고 듣고 읽고 쓰면 저절로 외워지는 단어

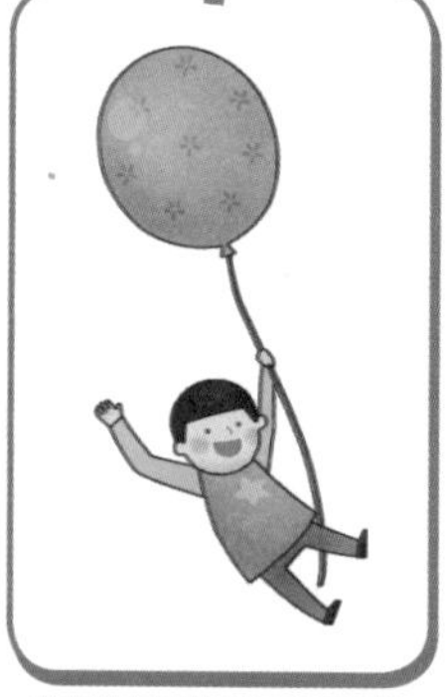

air
공기
ㅔ+ㅓ
에어

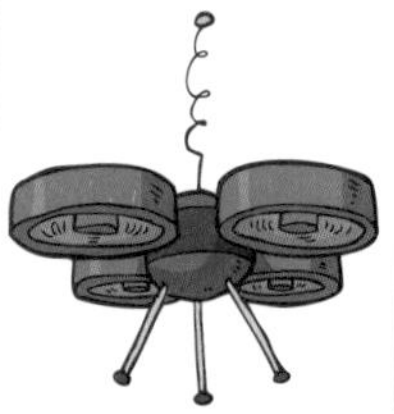

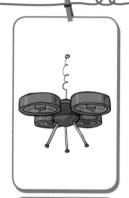

drone
드론, 무인항공기
ㄷ+ㄹ+ㅗ+ㅜ+ㄴ
드로운

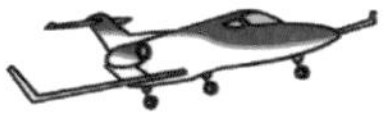

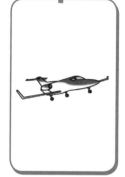

jet
제트기
줴+ㅌ
줴트

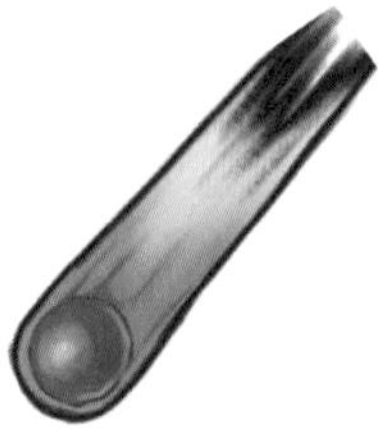

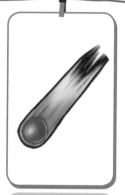

comet
혜성
ㅋ+ㅏ+ㅁ+ㅣ+ㅌ
카-밑

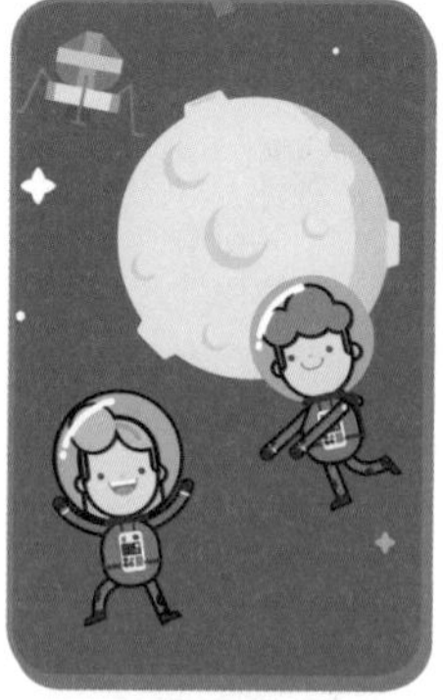

cosmos
우주
ㅋ+ㅏ+ㅈ+ㅁ+ㅗ+ㅜ+ㅅ
카-즈모우스

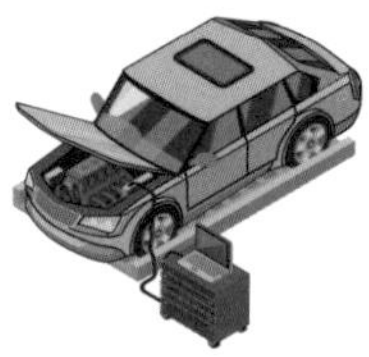

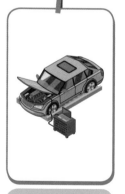

engine
엔진
ㅔ+ㄴ+쥐+ㄴ
엔쥔

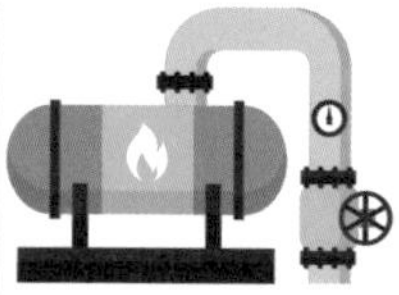

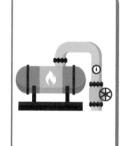

pipe
관, 파이프
ㅍ+ㅏ+ㅣ+ㅍ
파이프

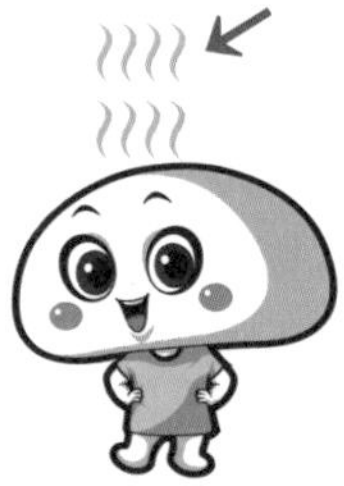

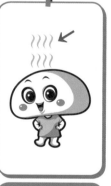

steam
증기
ㅅ+ㅌ+ㅣ+ㅁ
스띠-ㅁ

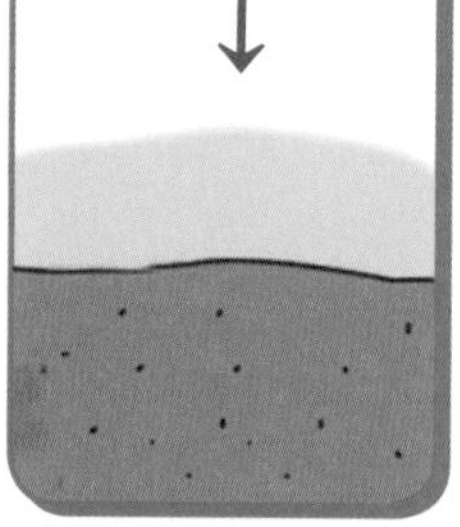

space
공간
ㅅ+ㅍ+ㅔ+ㅣ+ㅅ
스페이스

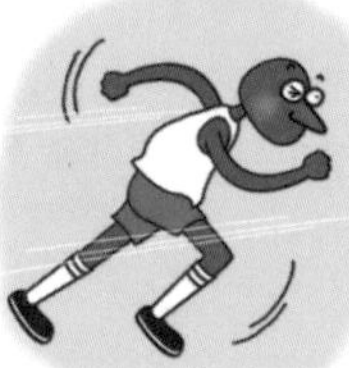

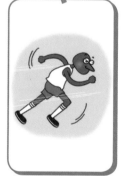

speed
속도
ㅅ+ㅍ+ㅣ+ㄷ
스삐-드

그림을 보고 읽고 소리내며 쓰세요!!

air 공기
ㅔ·ㅓ 에어

air

drone 드론, 무인항공기
ㄷ·ㄹ·ㅗ·ㅜ·ㄴ 드로운

drone

jet 제트기
ㅈㅔ·ㅌ 줴트

jet

comet 혜성
ㅋ·ㅏ·ㅁ·ㅣ·ㅌ 카-밑

comet

cosmos 우주
ㅋ·ㅏ·ㅈ·ㅁ·ㅗ·ㅜ·ㅅ 카-즈모우스

cosmos

그림을 보고 읽고 소리내며 쓰세요!!

engine 엔진
ㅔ+ㄴ+쥐+ㄴ 엔쥔

engine

pipe 관, 파이프
ㅍ+ㅏ+ㅣ+ㅍ 파이프

pipe

steam 증기
ㅅ+ㅌ+ㅣ+ㅁ 스띠-ㅁ

steam

space 공간
ㅅ+ㅍ+ㅔ+ㅣ+ㅅ 스페이스

space

speed 속도
ㅅ+ㅍ+ㅣ+ㄷ 스삐-드

speed

82

연습문제

A 그림에 알맞은 영어 단어와 우리말 뜻을 골라 연결하세요.

jet · · 우주

cosmos · · 드론, 무인항공기

drone · · 혜성

comet · · 제트기

B 그림에 알맞은 영어 단어를 적어보세요.

보기: air · steam · space · speed · engine · pipe

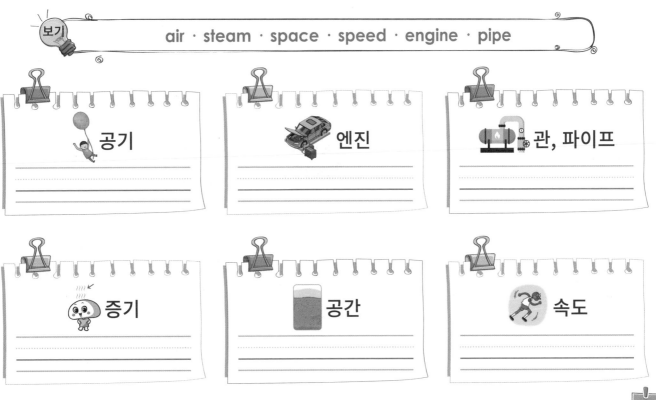

공기

엔진

관, 파이프

증기

공간

속도

Day 20  Art 예술

 그림을 보고 듣고 읽고 쓰면 저절로 외워지는 단어

brush
붓

ㅂ·ㄹ어·ㅓ·쉬
브러쉬

paint
그림 그리다,
페인트

ㅍ·ㅔ·ㅣ·ㄴ·ㅌ
페인트

model
모델

ㅁ·ㅏ·ㄷ·ㅡ·ㄹ
마-들

band
밴드, 악단

ㅂ·ㅐ·ㄴ·ㄷ
밴드

bell
종, 종소리

ㅂ·ㅔ·ㄹ
벨

drum
북, 드럼

ㄷ·ㄹ어·ㅓ·ㅁ
드럼

song
노래

ㅆ·ㅗ·ㅇ
쏘-응

film
필름, 영화

ㅍ·ㅣ·ㄹ·ㄹ·ㅁ
필름

violin
바이올린

ㅂ·ㅏ·ㅣ·ㅓ·ㄹ·ㄹ·ㅣ·ㄴ
봐이얼린

xylophone
실로폰

ㅈ·ㅏ·ㅣ·ㄹ·ㄹ·ㅓ·ㅍ·ㅗ·ㅜ·ㄴ
자일러풔운

그림을 보고 읽고 소리내며 쓰세요!!

 brush 붓
ㅂ·ㄹㅇ·ㅓ·쉬 브러쉬

brush

 paint 그림 그리다, 페인트
ㅍ·ㅔ·ㅣ·ㄴ·ㅌ 페인트

paint

 model 모델
ㅁ·ㅏ·ㄷ·ㅡ·ㄹ 마-들

model

 band 밴드, 악단
ㅂ·ㅐ·ㄴ·ㄷ 밴드

band

 bell 종, 종소리
ㅂ·ㅔ·ㄹ 벨

bell

drum 북, 드럼
ㄷ+ㄹ+ㅓ+ㅁ 드뤔

drum

song 노래
ㅆ+ㅗ+ㅇ 쏘-응

song

film 필름, 영화
ㅍ+ㅣ+ㄹ+ㄹ+ㅁ 필름

film

violin 바이올린
ㅂ+ㅏ+ㅣ+ㅓ+ㄹ+ㄹ+ㅣ+ㄴ 봐이얼린

violin

xylophone 실로폰
ㅈ+ㅣ+ㄹ+ㄹ+ㅓ+ㅍ+ㅓ+ㅜ+ㄴ
자일러풔운

xylophone

A 그림에 알맞은 영어 단어와 우리말 뜻을 골라 연결하세요.

· bell ·   · 종, 종소리

· paint ·   · 실로폰

· xylophone ·   · 그림 그리다

· violin ·   · 바이올린

B 그림에 알맞은 영어 단어를 적어보세요.

보기   model · brush · song · band · drum · film

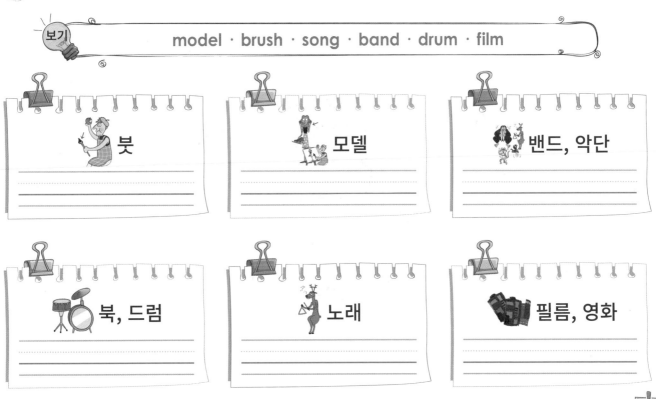

붓

모델

밴드, 악단

북, 드럼

노래

필름, 영화

Day 21  Week 주

 그림을 보고 듣고 읽고 쓰면 저절로 외워지는 단어

Monday
월요일

ㅁ·ㅓ·ㄴ·ㄷ·ㅔㅇㅣ
먼데이

Tuesday
화요일

ㅌ·ㅠ·ㅈ·ㄷ·ㅔㅇㅣ
튜-즈데이

Wednesday
수요일

ㅞ·ㄴ·ㅈ·ㄷ·ㅔㅇㅣ
웬즈데이

Thursday
목요일

ㅆㅓ·ㄹ·ㅈ·ㄷ·ㅔㅇㅣ
써-즈데이

Friday
금요일

ㅍ·ㄹ·ㅏㅇㅣ·ㄷ·ㅔㅇㅣ
프라이데이

Saturday
토요일

ㅆ·ㅐ·ㄷ·ㅓ·ㄹ·ㄷ·ㅔㅇㅣ
쌔더데이

Sunday
일요일

ㅆ·ㅓ·ㄴ·ㄷ·ㅔㅇㅣ
썬데이

date
날짜

ㄷ·ㅔㅇㅣ·ㅌ
데이트

week
주

ㅟ·ㅋ
위-크

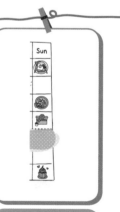

weekend
주말

ㅟ·ㅋ·ㅔ·ㄴ·ㄷ
위크엔드

88

그림을 보고 읽고 소리내며 쓰세요!!

 Monday 월요일
ㅁ·ㅓ·ㄴ·ㄷ·ㅔ·ㅣ 먼데이

Monday

 Tuesday 화요일
ㅌ·ㅠ·ㅈ·ㄷ·ㅔ·ㅣ 튜-즈데이

Tuesday

 Wednesday 수요일
ㅞ·ㄴ·ㅈ·ㄷ·ㅔ·ㅣ 웬즈데이

Wednesday

 Thursday 목요일
ㅆㅓ·ㄹ·ㅇ·ㅈ·ㄷ·ㅔ·ㅣ 써-즈데이

Thursday

 Friday 금요일
ㅍ·ㄹ·ㅏ·ㅣ·ㄷ·ㅔ·ㅣ 프롸이데이

Friday

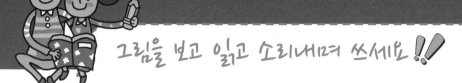

그림을 보고 읽고 소리내며 쓰세요!!

Saturday 토요일

ㅆ+ㅐ+ㄷ+ㅓ+ㄹ+ㄷ+ㅔ+ㅣ 쌔더데이

Saturday

Sunday 일요일

ㅆ+ㅓ+ㄴ+ㄷ+ㅔ+ㅣ 썬데이

Sunday

date 날짜

ㄷ+ㅔ+ㅣ+ㅌ 데이트

date

week 주

ㅟ+ㅋ 위-크

week

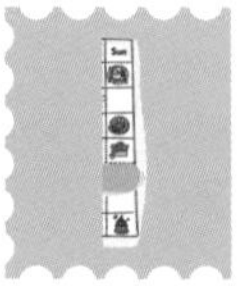

weekend 주말

ㅟ+ㅋ+ㅔ+ㄴ+ㄷ 위크엔드

weekend

A 그림에 알맞은 영어 단어와 우리말 뜻을 골라 연결하세요.

date ·   · 주

week ·   · 날짜

weekend ·   · 주말

Sunday ·   · 일요일

B 그림에 알맞은 영어 단어를 적어보세요.

보기   Thursday · Tuesday · Wednesday · Saturday · Friday · Monday

월요일

화요일

수요일

목요일

금요일

토요일

Day 22  Month 월

 그림을 보고 듣고 읽고 쓰면 저절로 외워지는 단어

January
1월

쵀ㄴㅠㄱㄹㅓㅣ
쵀뉴어뤼

February
2월

ㅍㅔㅂㄹㅜㄱㄹㅓㅣ
풰브루어뤼

March
3월

ㅁㅏㄹㅊ
마-취

April
4월

ㅔㅣㅍㄹㅓㅣㄹ
에이프뤌

May
5월

ㅁㅔㅣ
메이

June
6월

쥬-ㄴ
쥬-ㄴ

July
7월

쥬-ㄹㄹㅏㅣ
줄라이

August
8월

ㅗㄱㄱㅓ스ㅌ
오-거스트

September
9월

쎄ㅔ프ㅔㅁㅂㅓ
쎕템버

October
10월

ㅏㄱㅌ스ㅜㅂㅓ
악토우버

92

그림을 보고 읽고 소리내며 쓰세요 !!

January 1월
좨·ㄴ·ㅠ·ㅓ·ㄹ·ㅣ 좨뉴어뤼

January

February 2월
ㅍ·ㅔ·ㅂ·ㄹ·ㅜ·ㅓ·ㄹ·ㅣ
페브루어뤼

February

March 3월
ㅁ·ㅏ·ㄹ·ㅇ·취 마-취

March

April 4월
ㅔ·ㅣ·ㅍ·ㄹ·ㅇ·ㅓ·ㄹ 에이프뤌

April

May 5월
ㅁ·ㅔ·ㅣ 메이

May

그림을 보고 읽고 소리내며 쓰세요 !!

June 6월
쥬·ㄴ 쥬-ㄴ

June

July 7월
쥬·ㄹ·ㄹ·ㅏ·ㅣ 쥴라이

July

August 8월
ㅗ·ㄱ·ㅓ·ㅅ·ㅌ 오-거스트

August

September 9월
ㅆ·ㅔ·ㅍ·ㅌ·ㅔ·ㅁ·ㅂ·ㅓ 쎕템버

September

October 10월
ㅏ·ㅋ·ㅌ·ㅗ·ㅜ·ㅂ·ㅓ 악토우버

October

연습문제

A 그림에 알맞은 영어 단어와 우리말 뜻을 골라 연결하세요.

January · · 7월

July · · 5월

May · · 3월

March · · 1월

B 그림에 알맞은 영어 단어를 적어보세요.

보기 June · February · April · August · October · September

2월

4월

6월

8월

9월

10월

Day 23  Season 계절

 그림을 보고 듣고 읽고 쓰면 저절로 외워지는 단어

November
11월

ㄴㅗㅜㅜㅔㅁㅂㅓ
노우뷈버

December
12월

ㄷㅣㅆㅔㅁㅂㅓ
디쎔버

Xmas
크리스마스

ㅔㅋㅆㅁㅓㅅ
엑스머스

month
월

ㅁㅓㄴㅆ
먼쓰

season
계절

ㅆㅣㅈㅡㄴ
씨-즌

spring
봄

ㅅㅍㅡㄹㅣㅇ
스프링

summer
여름

ㅆㅓㅁㅓ
써머

fall
떨어지다(가을)

ㅍㅗㄹ
포-을

autumn
가을

ㅗㅌㅓㅁ
오-텀

winter
겨울

ㅜㅣㄴㅌㅓ
윈터

원어민 발음 듣기

월 일

그림을 보고 읽고 소리내며 쓰세요!!

November 11월

ㄴ+ㅗ+ㅜ+ㅂㅇ+ㅔ+ㅁ+ㅂ+ㅓ 노우벰버

November

December 12월

ㄷ+ㅣ+ㅆ+ㅔ+ㅁ+ㅂ+ㅓ 디쎔버

December

Xmas 크리스마스

ㅔ+ㅋ+ㅆ+ㅁ+ㅓ+ㅅ 엑스머스

Xmas

month 월

ㅁ+ㅓ+ㄴ+ㅆㅇ 먼쓰

month

season 계절

ㅆ+ㅣ+ㅈ+ㄴ 씨-즌

season

spring 봄
ㅅ+ㅍ+ㄹ+ㅓ+ㅇ 스프링

spring

summer 여름
ㅆ+ㅓ+ㅁ+ㅓ 써머

summer

fall 떨어지다 (가을)
ㅍ+ㅗ+ㄹ 포-을

fall

autumn 가을
ㅗ+ㅌ+ㅓ+ㅁ 오-텀

autumn

winter 겨울
ㅟ+ㄴ+ㅌ+ㅓ 윈터

winter

A 그림에 알맞은 영어 단어와 우리말 뜻을 골라 연결하세요.

spring · · 여름

Xmas · · 가을

autumn · · 크리스마스

summer · · 봄

B 그림에 알맞은 영어 단어를 적어보세요.

보기 December · November · winter · month · fall · season

11월   12월   월

계절   떨어지다(가을)   겨울

99

Day 24   Country 국가

 그림을 보고 듣고 읽고 쓰면 저절로 외워지는 단어

Korea
대한민국

ㅋ·ㅗ·ㄹ·ㅏ·ㅣ·ㅓ
코뤼어

America
미국

ㅓ·ㅁ·ㅔ·ㄹ·ㅣ·ㅋ·ㅓ
어메뤼커

England
영국

ㅣ·ㅇ·ㄱ·ㅡ·ㄹ·ㄹ·ㅓ·ㄴ·ㄷ
잉글런드

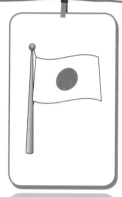

Japan
일본

쥐·ㅍ·ㅐ·ㄴ
쥐팬

Vietnam
베트남

ㅂ·ㅣ·ㅔ·ㅌ·ㄴ·ㅏ·ㅁ
뷔엩나-ㅁ

France
프랑스

ㅍ·ㅓ·ㄹ·ㅇ·ㅐ·ㄴ·ㅅ
프랜스

Italy
이탈리아

ㅣ·ㅌ·ㅓ·ㄹ·ㄹ·ㅣ
이털리

India
인도

ㅣ·ㄴ·ㄷ·ㅣ·ㅓ
인디아

Canada
캐나다

ㅋ·ㅐ·ㄴ·ㅓ·ㄷ·ㅓ
캐너더

China
중국

촤·ㅣ·ㄴ·ㅓ
촤이너

100

원어민 발음 듣기

월 일

그림을 보고 읽고 소리내며 쓰세요!!

Korea 대한민국

ㅋ+ㅗ+ㄹ°+ㅣ+ㅓ 코뤼어

Korea

America 미국

ㅓ+ㅁ+ㅔ+ㄹ°+ㅣ+ㅋ+ㅓ 어메뤼커

America

England 영국

ㅣ+ㅇ+ㄱ+ㅡ+ㄹ+ㄹ+ㅓ+ㄴ+ㄷ 잉글런드

England

Japan 일본

줘+ㅍ+ㅐ+ㄴ 줘팬

Japan

Vietnam 베트남

ㅂ°+ㅣ+ㅔ+ㅌ+ㄴ+ㅏ+ㅁ 뷔엘나-ㅁ

Vietnam

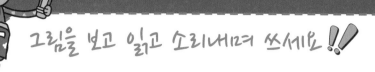

그림을 보고 읽고 소리내며 쓰세요 !!

France 프랑스
ㅍㅇ·ㄹㅇ·ㅐ·ㄴ·ㅅ 프랜스

France

Italy 이탈리아
ㅣ·ㅌ·ㅣ·ㄹㄹ·ㅣ 이털리

Italy

India 인도
ㅣ·ㄴ·ㄷ·ㅣ·ㅏ 인디아

India

Canada 캐나다
ㅋ·ㅐ·ㄴ·ㅓ·ㄷ·ㅓ 캐너더

Canada

China 중국
촤·ㅣ·ㄴ·ㅓ 촤이너

China

A 그림에 알맞은 영어 단어와 우리말 뜻을 골라 연결하세요.

England · · 일본

America · · 캐나다

Canada · · 영국

Japan · · 미국

B 그림에 알맞은 영어 단어를 적어보세요.

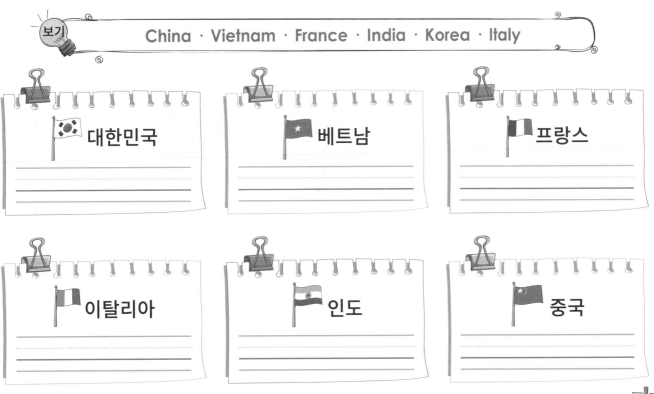

보기 China · Vietnam · France · India · Korea · Italy

대한민국

베트남

프랑스

이탈리아

인도

중국

Day 25 Plant 식물

 그림을 보고 듣고 읽고 쓰면 저절로 외워지는 단어

branch
가지

ㅂ·ㄹ·애·ㄴ·취
브랜취

blossom
꽃

ㅂ·ㄹ·ㄹ·ㅏ·ㅆ·ㅣ·ㅁ
블라-썸

grass
잔디

ㄱ·ㄹ·애·ㅆ
그래스

pine
소나무

ㅍ·ㅏ·ㅣ·ㄴ
파인

herb
약초

ㅓ·ㄹ·ㅓ·ㅂ
어-브

root
뿌리

ㄹ·ㅓ·ㅜ·ㅜ·ㅌ
루-트

stem
줄기

ㅅ·ㅌ·ㅔ·ㅁ
스템

leaf
잎

ㄹ·ㅣ·ㅍ·ㅓ
리-프

rose
장미

ㄹ·ㅓ·ㅗ·ㅜ·ㅈ
로우즈

tulip
튤립

ㅌ·ㅠ·ㄹ·ㄹ·ㅣ·ㅍ
튜-올맆

104

그림을 보고 읽고 소리내며 쓰세요!!

branch 가지
ㅂ·ㄹ·ㅐ·ㄴ·취 브랜취

branch

blossom 꽃
ㅂ·ㄹ·ㄹ·ㅏ·ㅆ·ㅓ·ㅁ 블라-썸

blossom

grass 잔디
ㄱ·ㄹ·ㅐ·ㅆ 그래스

grass

pine 소나무
ㅍ·ㅏ·ㅣ·ㄴ 파인

pine

herb 약초
ㅓ·ㄹ·ㅂ 어-브

herb

| root 뿌리 | root |
| ㄹ ㅇ ㅜ ㅌ 루-트 | |

| stem 줄기 | stem |
| ㅅ ㅌ ㅔ ㅁ 스템 | |

| leaf 잎 | leaf |
| ㄹ ㅣ ㅍ ㅇ 리-프 | |

| rose 장미 | rose |
| ㄹ ㅇ ㅗ ㅜ ㅈ 로우즈 | |

| tulip 튤립 | tulip |
| ㅌ ㅠ ㄹ ㄹ ㅣ ㅍ 튜-을맆 | |

연습문제

Ⓐ 그림에 알맞은 영어 단어와 우리말 뜻을 골라 연결하세요.

· herb ·   · 잎

· leaf ·   · 약초

· tulip ·   · 장미

· rose ·   · 튤립

Ⓑ 그림에 알맞은 영어 단어를 적어보세요.

보기   grass · branch · pine · root · blossom · stem

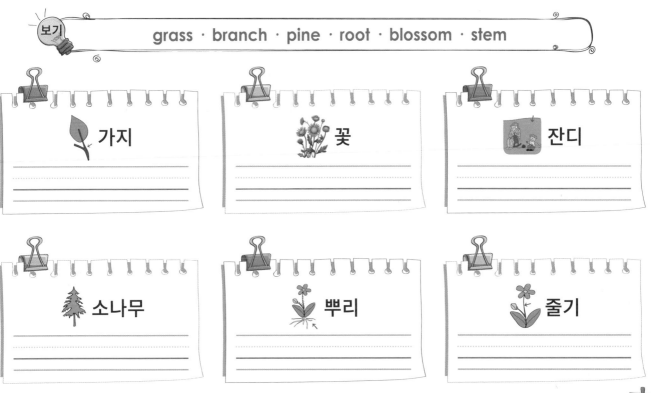

가지

꽃

잔디

소나무

뿌리

줄기

Day 26  Everyday life 일상생활

 그림을 보고 듣고 읽고 쓰면 저절로 외워지는 단어

buy
사다
ㅂ·ㅏ·ㅣ
바이

sell
팔다
ㅆ·ㅔ·ㄹ
쎌

play
놀다
ㅍ·ㄹ·ㄹ·ㅔ·ㅣ
플레이

work
일하다
ㅓ·ㄹ·ㅇ·ㅋ
워-크

bring
가져오다
ㅂ·ㄹ·ㅇ·ㅣ·ㅇ
브링

wake
깨우다
ㅔ·ㅣ·ㅋ
웨이크

record
기록하다
ㄹ·ㅣ·ㅋ·ㅅ·ㄹ·ㅇ·ㄷ
뤼코-드

pay
돈을 내다
ㅍ·ㅔ·ㅣ
페이

count
세다
ㅋ·ㅏ·ㅜ·ㄴ·ㅌ
카운트

dream
꿈
ㄷ·ㄹ·ㅇ·ㅣ·ㅁ
드뤼-ㅁ

그림을 보고 읽고 소리내며 쓰세요!!

buy 사다
ㅂ+ㅏ+ㅣ 바이

buy

sell 팔다
ㅆ+ㅔ+ㄹ 쎌

sell

play 놀다
ㅍ+ㄹ+ㄹ+ㅔ+ㅣ 플레이

play

work 일하다
ㅝ+ㄹㅇ+ㅋ 워-크

work

bring 가져오다
ㅂ+ㄹㅇ+ㅣ+ㅇ 브링

bring

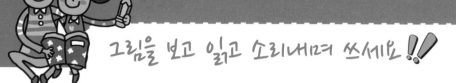

wake 깨우다 ㅔ+ㅣ+ㅋ 웨이크	wake	

record 기록하다 ㄹ+ㅣ+ㅋ+ㅗ+ㄹ+ㄷ 뤼코-드	record	

pay 돈을 내다 ㅍ+ㅔ+ㅣ 페이	pay	

count 세다 ㅋ+ㅏ+ㅜ+ㄴ+ㅌ 카운트	count	

dream 꿈 ㄷ+ㄹ+ㅣ+ㅁ 드뤼-ㅁ 꿈	dream	

연습문제

A 그림에 알맞은 영어 단어와 우리말 뜻을 골라 연결하세요.

dream · · 돈을 내다

pay · · 꿈

record · · 일하다

work · · 기록하다

B 그림에 알맞은 영어 단어를 적어보세요.

보기   wake · buy · play · count · bring · sell

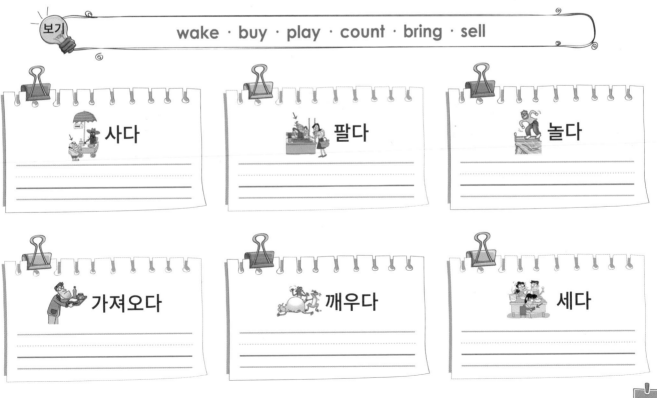

사다

팔다

놀다

가져오다

깨우다

세다

Day 27　Behavior 행동

pull
당기다

ㅍ・ㅜ・ㄹ
풀

push
밀다

ㅍ・ㅜ・쉬
푸쉬

ask
묻다

ㅐ・ㅅ・ㅋ
애스크

speak
말하다

ㅅ・ㅍ・ㅣ・ㅋ
스삐-크

drive
운전하다

ㄷ・ㄹ・ㅏ・ㅣ・ㅂ
드롸이브

meet
만나다

ㅁ・ㅣ・ㅌ
미-트

carry
옮기다

ㅋ・ㅐ・ㄹ・ㅣ
캐뤼

drink
마시다

ㄷ・ㄹ・ㅣ・ㅇ・ㅋ
드링크

ride
타다

ㄹ・ㅏ・ㅣ・ㄷ
롸이드

talk
이야기하다

ㅌ・ㅗ・ㅋ
토-크

그림을 보고 읽고 소리내며 쓰세요 !!

pull 당기다
ㅍ·ㅜ·ㄹ 풀

pull

push 밀다
ㅍ·ㅜ·쉬 푸쉬

push

ask 묻다
ㅐ·ㅅ·ㅋ 애스크

ask

speak 말하다
ㅅ·ㅍ·ㅣ·ㅋ 스삐-크

speak

drive 운전하다
ㄷ·ㄹ·ㅏ·ㅣ·ㅂ 드라이브

drive

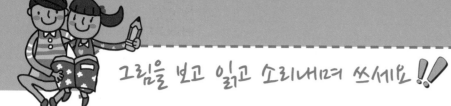
그림을 보고 읽고 소리내며 쓰세요!!

meet 만나다
ㅁ+ㅣ+ㅌ 미-트

meet

carry 옮기다
ㅋ+ㅐ+ㄹ+ㅣ 캐뤼

carry

drink 마시다
ㄷ+ㄹ+ㅣ+ㅇ+ㅋ 드링크

drink

ride 타다
ㄹ+ㅏ+ㅣ+ㄷ 롸이드

ride

talk 이야기하다
ㅌ+ㅗ+ㅋ 토-크

talk

114

연습문제

A 그림에 알맞은 영어 단어와 우리말 뜻을 골라 연결하세요.

· ride ·   · 밀다

· push ·   · 타다

· drive ·   · 마시다

· drink ·   · 운전하다

B 그림에 알맞은 영어 단어를 적어보세요.

보기   meet · pull · speak · talk · carry · ask

당기다

묻다

말하다

만나다

옮기다

이야기하다

Day 28 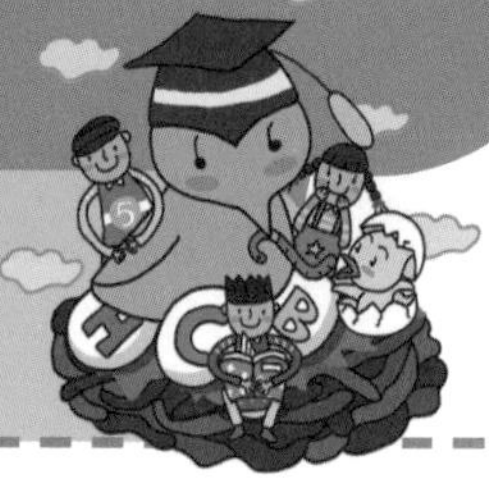 Weather 날씨

그림을 보고 듣고 읽고 쓰면 저절로 외워지는 단어

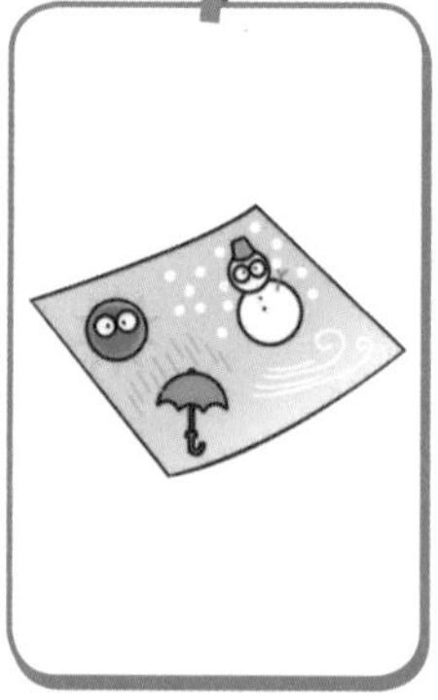

weather
날씨
ㅞ+ㄷ+ㅓ+ㄹ
웨더

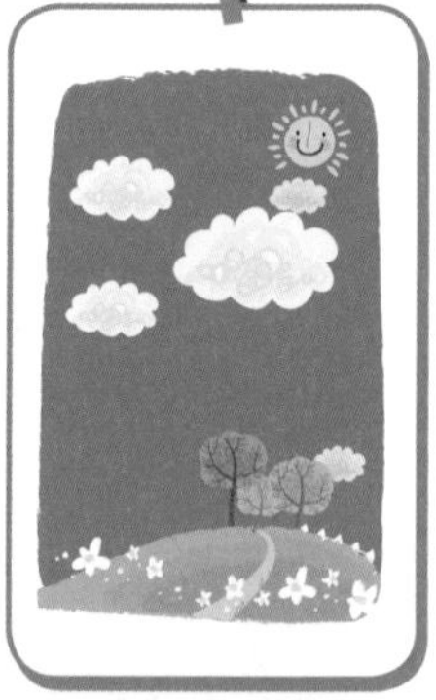

cloud
구름
ㅋ+ㄹ+ㄹ+ㅏ+ㅜ+ㄷ
클라우드

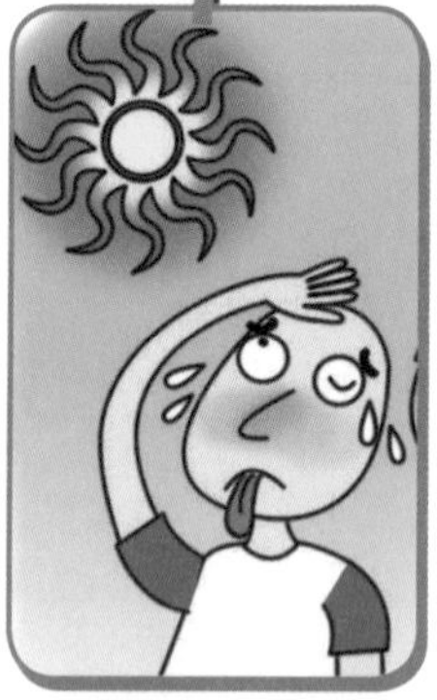

sunshine
햇빛
ㅆ+ㅓ+ㄴ+ㅑ+ㅣ+ㄴ
썬샤인

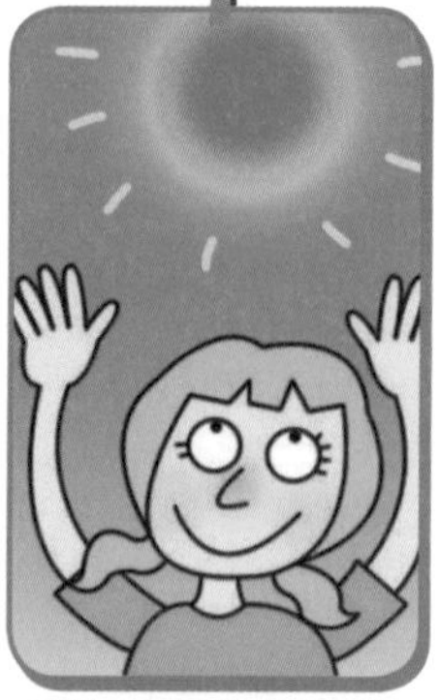

sunny
화창한
ㅆ+ㅓ+ㄴ+ㅣ
써니

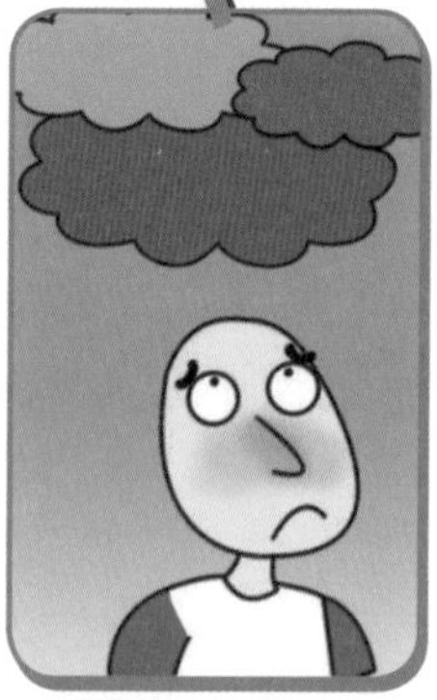

cloudy
흐린
ㅋ+ㄹ+ㄹ+ㅏ+ㅜ+ㄷ+ㅣ
클라우디

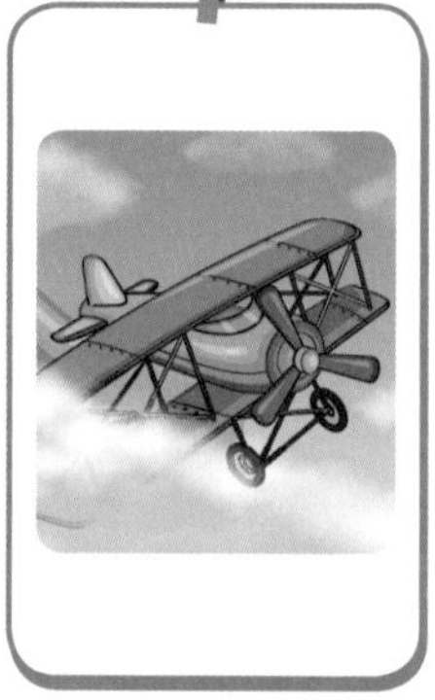

fog
안개
ㅍ+ㅗ+ㄱ
포-그

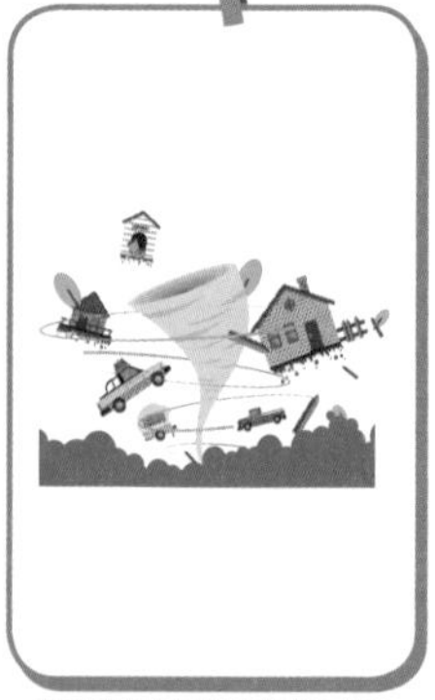

tornado
회오리바람, 토네이도
ㅌ+ㅗ+ㄹ+ㄴ+ㅔ+ㅣ+ㄷ+ㅗ+ㅜ
토-네이도우

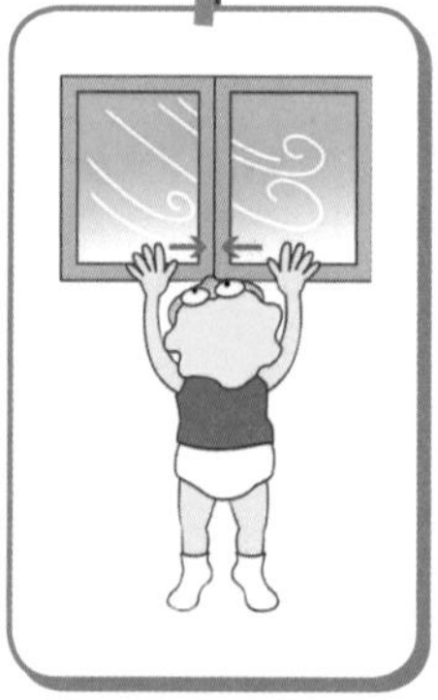

windy
바람이 많이 부는
ㅟ+ㄴ+ㄷ+ㅣ
윈디

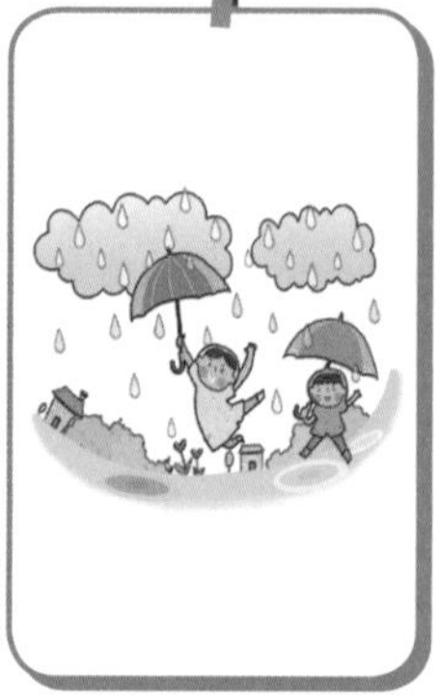

shower
소나기
ㅑ+ㅜ+ㅓ
샤우어

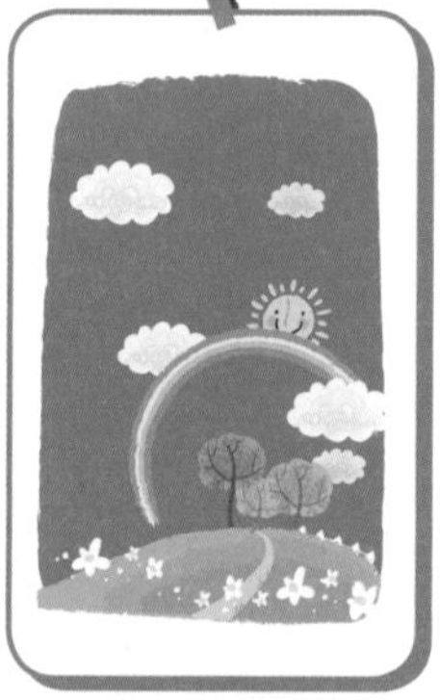

rainbow
무지개
ㄹ+ㅔ+ㅣ+ㄴ+ㅂ+ㅗ+ㅜ
뤠인보우

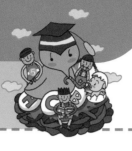

그림을 보고 읽고 소리내며 쓰세요 !!

weather 날씨
ㅔ·ㄷ어·ㅓ·ㄹ어 웨더

weather

cloud 구름
ㅋ·ㄹ·ㄹ·ㅏ·ㅜ·ㄷ 클라우드

cloud

sunshine 햇빛
ㅆ·ㅓ·ㄴ·샤·ㅣ·ㄴ 썬샤인

sunshine

sunny 화창한
ㅆ·ㅓ·ㄴ·ㅣ 써니

sunny

cloudy 흐린
ㅋ·ㄹ·ㄹ·ㅏ·ㅜ·ㄷ·ㅣ 클라우디

cloudy

117

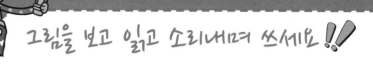

그림을 보고 읽고 소리내며 쓰세요!!

fog 안개 ㅍㅗㅗㄱ 포-그	fog
tornado 회오리바람, 토네이도 ㅌㅗㄹㅗㄴㅔㅣㄷㅗㅜ 토-네이도우	tornado
windy 바람이 많이 부는 ㅟㄴㄷㅣ 윈디	windy
shower 소나기 ㅅㅑㅜㅓ 샤우어	shower
rainbow 무지개 ㄹㅔㅣㄴㅂㅗㅜ 뤠인보우	rainbow

118

연습문제

Ⓐ 그림에 알맞은 영어 단어와 우리말 뜻을 골라 연결하세요.

sunshine · · 흐린

cloudy · · 햇빛

rainbow · · 무지개

cloud · · 구름

Ⓑ 그림에 알맞은 영어 단어를 적어보세요.

보기   tornado · sunny · fog · shower · windy · weather

날씨

화창한

안개

회오리바람, 토네이도

바람이 많이 부는

소나기

Day 29 — Fast food 패스트푸드

 그림을 보고 듣고 읽고 쓰면 저절로 외워지는 단어

chicken
닭고기

취·ㅋ·ㅣ·ㄴ
취킨

hamburger
햄버거

ㅎ·ㅐ·ㅁ·ㅂ·ㅓ·ㄹ·ㄱ·ㅓ
햄버-거

French fry
감자튀김

ㅍ·ㄹ·ㅔ·ㄴ·취·ㅍ·ㄹ·ㅏ·ㅣ
프뤤취 프롸이

cheese
치즈

취·ㅈ
취-즈

cola
콜라

ㅋ·ㅗ·ㅜ·ㄹ·ㅓ
코울러

pizza
피자

ㅍ·ㅣ·쩌·ㅓ
피-쩌

piece
한 조각

ㅍ·ㅣ·ㅆ
피-쓰

cheese burger
치즈버거

취·ㅈ·ㅂ·ㅓ·ㄹ·ㄱ·ㅓ
취-즈 버-거

ice cream
아이스크림

ㅏ·ㅣ·ㅅ·ㅋ·ㄹ·ㅜ·ㅣ·ㅁ
아이스 크뤼-ㅁ

McDonald's
맥도널드

ㅁ·ㅐ·ㄱ·ㄷ·ㅏ·ㄴ·ㅓ·ㄹ·ㅈ
멕다널즈

120

그림을 보고 읽고 소리내며 쓰세요!!

chicken 닭고기
ㅊ+ㅋ+ㅣ+ㄴ 취킨

chicken

hamburger 햄버거
ㅎ+ㅐ+ㅁ+ㅂ+ㅓ+ㄹ+ㄱ+ㅓ 햄버-거

hamburger

French fry 감자튀김
ㅍ+ㄹ+ㅔ+ㄴ+취+ㅍ+ㄹ+ㅏㅣ
프뤤취 프라이

French fry

cheese 치즈
취+ㅈ 취-즈

cheese

cola 콜라
ㅋ+ㅗ+ㅜ+ㄹ+ㄹ+ㅓ 코울러

cola

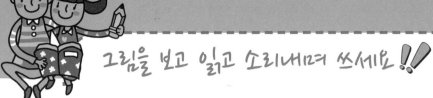

pizza 피자
ㅍ·ㅣ·ㅉ·ㅓ 피-쩌

pizza

piece 한 조각
ㅍ·ㅣ·ㅆ 피-쓰

piece

cheese burger 치즈버거
ㅊ·ㅣ·ㅈ·ㅂ·ㅓ·ㄹ·ㄱ·ㅓ 취-즈 버-거

cheese burger

ice cream 아이스크림
ㅏ·ㅣ·ㅅ·ㅋ·ㄹ·ㅓ·ㅣ·ㅁ 아이스 크뤼-ㅁ

ice cream

McDonald's 맥도널드
ㅁ·ㅐ·ㄱ·ㄷ·ㅏ·ㄴ·ㅓ·ㄹ·ㅈ 멕다널즈

McDonald's

연습문제

A 그림에 알맞은 영어 단어와 우리말 뜻을 골라 연결하세요.

 •

 •

 •

 •

• French fry •

• McDonalds •

• chicken •

• hamburger •

• 닭고기

• 맥도널드

• 햄버거

• 감자튀김

B 그림에 알맞은 영어 단어를 적어보세요.

보기   cheese burger · cheese · piece · ice cream · cola · pizza

치즈

콜라

피자

한 조각

치즈버거

아이스크림

123

Day 30  City 도시

 그림을 보고 듣고 읽고 쓰면 저절로 외워지는 단어

restaurant
식당, 레스토랑

ㄹ·에·ㅅ·ㅌ·ㄹ·아·ㄴ·ㅌ
뤠스트롸-ㄴ트

theater
영화관

ㅆ·아·이·ㅌ·어
씨-어터

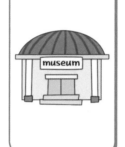

museum
박물관

ㅁ·ㅠ·ㅈ·이·어·ㅁ
뮤지-엄

airport
공항

ㅔ·ㄱ·ㅍ·ㅗ·ㄹ·오·ㅌ
에어포-트

park
공원

ㅍ·아·ㄹ·으·ㅋ
파-크

zoo
동물원

ㅈ·ㅜ
주-

building
건물

ㅂ·이·ㄹ·ㄷ·이·ㅇ
빌딩

bank
은행

ㅂ·애·ㅇ·ㅋ
뱅크

bridge
다리

ㅂ·ㄹ·이·ㅈ·쉬
브뤼쥐

church
교회

ㅊ·어·ㄹ·이·취
처-취

 124

원어민 발음 듣기
월 일

그림을 보고 읽고 소리내며 쓰세요!!

restaurant 식당, 레스토랑
ㄹ+ㅔ+ㅅ+ㅌ+ㄹ+ㅏ+ㄴ+ㅌ 뤠스트롸-ㄴ트

restaurant

theater 영화관
ㅆ+ㅣ+ㅓ+ㅌ+ㅓ 씨-어터

theater

museum 박물관
ㅁ+ㅠ+ㅈ+ㅣ+ㅓ+ㅁ 뮤지-엄

museum

airport 공항
ㅔ+ㅓ+ㅍ+ㅗ+ㄹ+ㅌ 에어포-트

airport

park 공원
ㅍ+ㅏ+ㄹ+ㅋ 파-크

park

125

ZOO 동물원
ㅈ·ㅜ 주-

zoo

building 건물
ㅂ·ㅣ·ㄹ·ㄷ·ㅣ·ㅇ 빌딩

building

bank 은행
ㅂ·ㅐ·ㅇ·ㅋ 뱅크

bank

bridge 다리
ㅂ·ㄹ·ㅣ·쥐 브뤼쥐

bridge

church 교회
처·ㄹ·ㅇ·취 처-취

church

연습문제

Ⓐ 그림에 알맞은 영어 단어와 우리말 뜻을 골라 연결하세요.

church · · 건물

restaurant · · 박물관

building · · 식당, 레스토랑

museum · · 교회

Ⓑ 그림에 알맞은 영어 단어를 적어보세요.

보기   bank · airport · bridge · park · zoo · theater

영화관

공항

공원

동물원

은행

다리

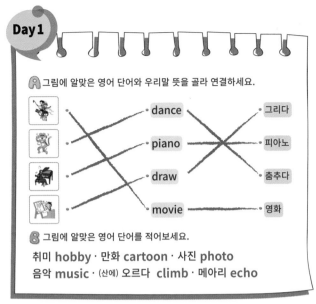

Day 1

ⓐ 그림에 알맞은 영어 단어와 우리말 뜻을 골라 연결하세요.

dance · · 그리다
piano · · 피아노
draw · · 춤추다
movie · · 영화

ⓑ 그림에 알맞은 영어 단어를 적어보세요.

취미 hobby · 만화 cartoon · 사진 photo
음악 music · (산에) 오르다 climb · 메아리 echo

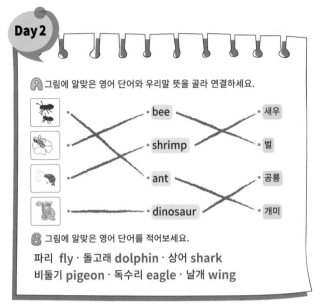

Day 2

ⓐ 그림에 알맞은 영어 단어와 우리말 뜻을 골라 연결하세요.

bee · · 새우
shrimp · · 벌
ant · · 공룡
dinosaur · · 개미

ⓑ 그림에 알맞은 영어 단어를 적어보세요.

파리 fly · 돌고래 dolphin · 상어 shark
비둘기 pigeon · 독수리 eagle · 날개 wing

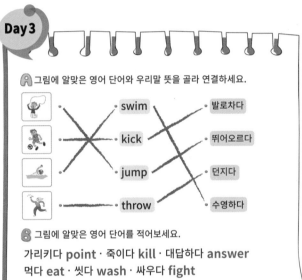

Day 3

ⓐ 그림에 알맞은 영어 단어와 우리말 뜻을 골라 연결하세요.

swim · · 발로차다
kick · · 뛰어오르다
jump · · 던지다
throw · · 수영하다

ⓑ 그림에 알맞은 영어 단어를 적어보세요.

가리키다 point · 죽이다 kill · 대답하다 answer
먹다 eat · 씻다 wash · 싸우다 fight

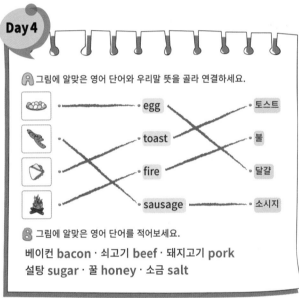

Day 4

ⓐ 그림에 알맞은 영어 단어와 우리말 뜻을 골라 연결하세요.

egg · · 토스트
toast · · 불
fire · · 달걀
sausage · · 소시지

ⓑ 그림에 알맞은 영어 단어를 적어보세요.

베이컨 bacon · 쇠고기 beef · 돼지고기 pork
설탕 sugar · 꿀 honey · 소금 salt

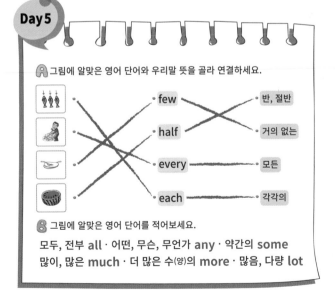

Day 5

ⓐ 그림에 알맞은 영어 단어와 우리말 뜻을 골라 연결하세요.

few · · 반, 절반
half · · 거의 없는
every · · 모든
each · · 각각의

ⓑ 그림에 알맞은 영어 단어를 적어보세요.

모두, 전부 all · 어떤, 무슨, 무언가 any · 약간의 some
많이, 많은 much · 더 많은 수(양)의 more · 많음, 다량 lot

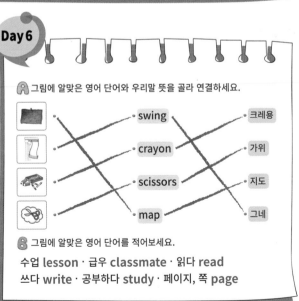

Day 6

ⓐ 그림에 알맞은 영어 단어와 우리말 뜻을 골라 연결하세요.

swing · · 크레용
crayon · · 가위
scissors · · 지도
map · · 그네

ⓑ 그림에 알맞은 영어 단어를 적어보세요.

수업 lesson · 급우 classmate · 읽다 read
쓰다 write · 공부하다 study · 페이지, 쪽 page

Day 7

그림에 알맞은 영어 단어와 우리말 뜻을 골라 연결하세요.

balloon · 병
basket · 양초
candle · 풍선
bottle · 바구니

그림에 알맞은 영어 단어를 적어보세요.

앨범 album · 장난감 toy · 카드 card
동전 coin · 인형 doll · 열쇠 key

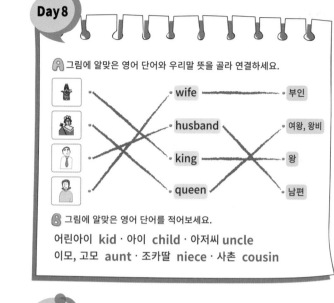

Day 8

그림에 알맞은 영어 단어와 우리말 뜻을 골라 연결하세요.

wife · 부인
husband · 여왕, 왕비
king · 왕
queen · 남편

그림에 알맞은 영어 단어를 적어보세요.

어린아이 kid · 아이 child · 아저씨 uncle
이모, 고모 aunt · 조카딸 niece · 사촌 cousin

Day 9

그림에 알맞은 영어 단어와 우리말 뜻을 골라 연결하세요.

mom · 소녀
boy · 아기
girl · 엄마
baby · 소년

그림에 알맞은 영어 단어를 적어보세요.

아빠 dad · 부인 lady · ~양, 미스 Miss
~씨 Mr. · ~씨 부인 Mrs. · 님, 귀하 sir

Day 10

그림에 알맞은 영어 단어와 우리말 뜻을 골라 연결하세요.

low · 더러운
high · 따뜻한
dirty · 낮은
warm · 높은

그림에 알맞은 영어 단어를 적어보세요.

어리석은 stupid · 시원한 cool · 깨끗한 clean
죽은 dead · 새로운 new · 진짜의 real

Day 11

그림에 알맞은 영어 단어와 우리말 뜻을 골라 연결하세요.

weak · 약한
quiet · 강한
strong · 나쁜, 잘못된
wrong · 조용한

그림에 알맞은 영어 단어를 적어보세요.

폭이 넓은 wide · 이상한 strange · 단단한 hard
부드러운 soft · 좋은, 훌륭한 fine · 차분한, 잔잔한 calm

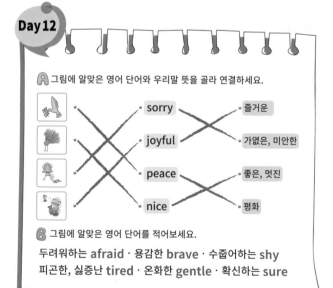

Day 12

그림에 알맞은 영어 단어와 우리말 뜻을 골라 연결하세요.

sorry · 즐거운
joyful · 가엾은, 미안한
peace · 좋은, 멋진
nice · 평화

그림에 알맞은 영어 단어를 적어보세요.

두려워하는 afraid · 용감한 brave · 수줍어하는 shy
피곤한, 싫증난 tired · 온화한 gentle · 확신하는 sure

Day 13

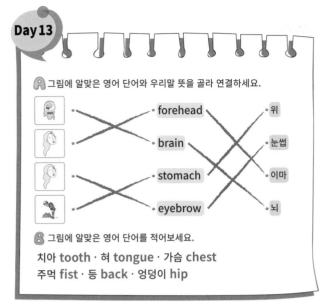

그림에 알맞은 영어 단어와 우리말 뜻을 골라 연결하세요.

forehead · 위
brain · 눈썹
stomach · 이마
eyebrow · 뇌

그림에 알맞은 영어 단어를 적어보세요.

치아 tooth · 혀 tongue · 가슴 chest
주먹 fist · 등 back · 엉덩이 hip

Day 14

그림에 알맞은 영어 단어와 우리말 뜻을 골라 연결하세요.

comb · 타월
towel · 빗
refrigerator · 전자레인지
microwave · 냉장고

그림에 알맞은 영어 단어를 적어보세요.

컴퓨터 computer · 다리미 iron · 청소기 cleaner
망치, 해머 hammer · 접착제 glue · 샴푸 shampoo

Day 15

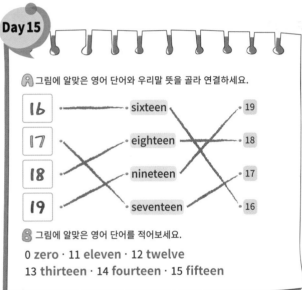

그림에 알맞은 영어 단어와 우리말 뜻을 골라 연결하세요.

sixteen · 19
eighteen · 18
nineteen · 17
seventeen · 16

그림에 알맞은 영어 단어를 적어보세요.

0 zero · 11 eleven · 12 twelve
13 thirteen · 14 fourteen · 15 fifteen

Day 16

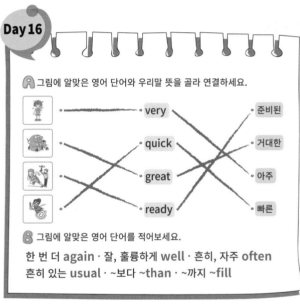

그림에 알맞은 영어 단어와 우리말 뜻을 골라 연결하세요.

very · 준비된
quick · 거대한
great · 아주
ready · 빠른

그림에 알맞은 영어 단어를 적어보세요.

한 번 더 again · 잘, 훌륭하게 well · 흔히, 자주 often
흔히 있는 usual · ~보다 ~than · ~까지 ~fill

Day 17

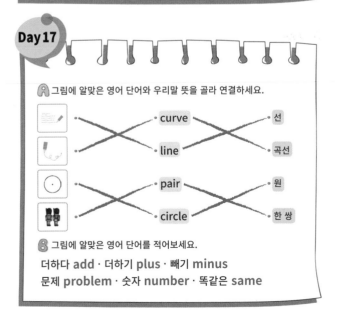

그림에 알맞은 영어 단어와 우리말 뜻을 골라 연결하세요.

curve · 선
line · 곡선
pair · 원
circle · 한 쌍

그림에 알맞은 영어 단어를 적어보세요.

더하다 add · 더하기 plus · 빼기 minus
문제 problem · 숫자 number · 똑같은 same

Day 18

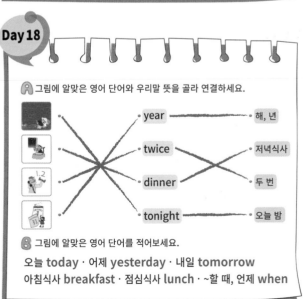

그림에 알맞은 영어 단어와 우리말 뜻을 골라 연결하세요.

year · 해, 년
twice · 저녁식사
dinner · 두 번
tonight · 오늘 밤

그림에 알맞은 영어 단어를 적어보세요.

오늘 today · 어제 yesterday · 내일 tomorrow
아침식사 breakfast · 점심식사 lunch · ~할 때, 언제 when

Day 19

그림에 알맞은 영어 단어와 우리말 뜻을 골라 연결하세요.

그림에 알맞은 영어 단어를 적어보세요.

공기 air · 엔진 engine · 관, 파이프 pipe
증기 steam · 공간 space · 속도 speed

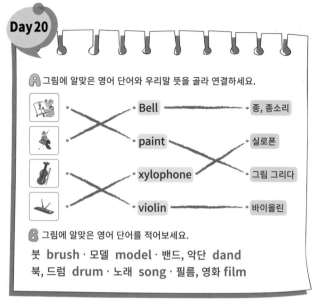

Day 20

그림에 알맞은 영어 단어와 우리말 뜻을 골라 연결하세요.

Bell ——— 종, 종소리
paint ——— 실로폰
xylophone ——— 그림 그리다
violin ——— 바이올린

그림에 알맞은 영어 단어를 적어보세요.

붓 brush · 모델 model · 밴드, 악단 dand
북, 드럼 drum · 노래 song · 필름, 영화 film

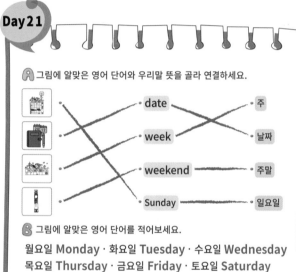

Day 21

그림에 알맞은 영어 단어와 우리말 뜻을 골라 연결하세요.

date ——— 주
week ——— 날짜
weekend ——— 주말
Sunday ——— 일요일

그림에 알맞은 영어 단어를 적어보세요.

월요일 Monday · 화요일 Tuesday · 수요일 Wednesday
목요일 Thursday · 금요일 Friday · 토요일 Saturday

Day 22

그림에 알맞은 영어 단어와 우리말 뜻을 골라 연결하세요.

January ——— 7월
July ——— 5월
May ——— 3월
March ——— 1월

그림에 알맞은 영어 단어를 적어보세요.

2월 February · 4월 April · 6월 June
8월 August · 9월 September · 10월 October

Day 23

그림에 알맞은 영어 단어와 우리말 뜻을 골라 연결하세요.

spring ——— 여름
Xmas ——— 가을
autumn ——— 크리스마스
summer ——— 봄

그림에 알맞은 영어 단어를 적어보세요.

11월 November · 12월 December · 월 month
계절 season · 떨어지다(가을) fall · 겨울 winter

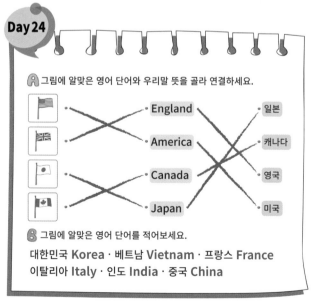

Day 24

그림에 알맞은 영어 단어와 우리말 뜻을 골라 연결하세요.

England ——— 일본
America ——— 캐나다
Canada ——— 영국
Japan ——— 미국

그림에 알맞은 영어 단어를 적어보세요.

대한민국 Korea · 베트남 Vietnam · 프랑스 France
이탈리아 Italy · 인도 India · 중국 China

Day 25

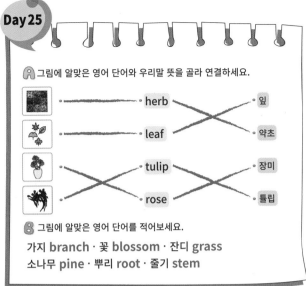

Ⓐ 그림에 알맞은 영어 단어와 우리말 뜻을 골라 연결하세요.

herb — 잎
leaf — 약초
tulip — 장미
rose — 튤립

Ⓑ 그림에 알맞은 영어 단어를 적어보세요.

가지 branch · 꽃 blossom · 잔디 grass
소나무 pine · 뿌리 root · 줄기 stem

Day 26

Ⓐ 그림에 알맞은 영어 단어와 우리말 뜻을 골라 연결하세요.

dream — 돈을 내다
pay — 꿈
record — 일하다
work — 기록하다

Ⓑ 그림에 알맞은 영어 단어를 적어보세요.

사다 buy · 팔다 sell · 놀다 play
가져오다 bring · 깨우다 wake · 세다 count

Day 27

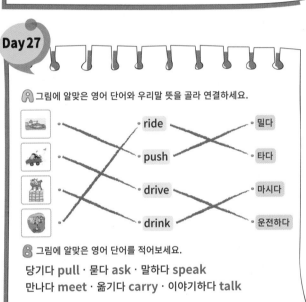

Ⓐ 그림에 알맞은 영어 단어와 우리말 뜻을 골라 연결하세요.

ride — 밀다
push — 타다
drive — 마시다
drink — 운전하다

Ⓑ 그림에 알맞은 영어 단어를 적어보세요.

당기다 pull · 묻다 ask · 말하다 speak
만나다 meet · 옮기다 carry · 이야기하다 talk

Day 28

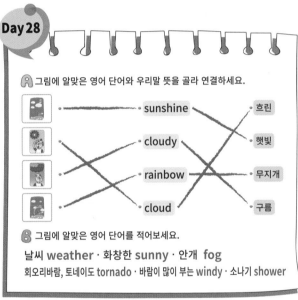

Ⓐ 그림에 알맞은 영어 단어와 우리말 뜻을 골라 연결하세요.

sunshine — 흐린
cloudy — 햇빛
rainbow — 무지개
cloud — 구름

Ⓑ 그림에 알맞은 영어 단어를 적어보세요.

날씨 weather · 화창한 sunny · 안개 fog
회오리바람, 토네이도 tornado · 바람이 많이 부는 windy · 소나기 shower

Day 29

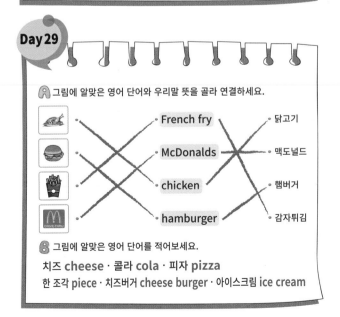

Ⓐ 그림에 알맞은 영어 단어와 우리말 뜻을 골라 연결하세요.

French fry — 닭고기
McDonalds — 맥도널드
chicken — 햄버거
hamburger — 감자튀김

Ⓑ 그림에 알맞은 영어 단어를 적어보세요.

치즈 cheese · 콜라 cola · 피자 pizza
한 조각 piece · 치즈버거 cheese burger · 아이스크림 ice cream

Day 30

Ⓐ 그림에 알맞은 영어 단어와 우리말 뜻을 골라 연결하세요.

church — 건물
restaurant — 박물관
building — 식당, 레스토랑
museum — 교회

Ⓑ 그림에 알맞은 영어 단어를 적어보세요.

영화관 theater · 공항 airport · 공원 park
동물원 zoo · 은행 bank · 다리 bridge

133

그림을 보고 듣고 읽고 쓰면 저절로 외워지는

초등 필수

교육부 권장 초등 필수 단어

영단어  3.4 학년

교육부 권장 초등 필수 단어를
충실하게 반영